ADOLESCENCIA: RIESGO TOTAL

Por la Superación del Ser Humano y sus Instituciones

Pablo Mier y Terán Sierra

ADOLESCENCIA: RIESGO TOTAL

ADOLESCENCIA RIESGO TOTAL

Primera edición: 1995
Decimanovena reimpresión: 2005
© Panorama Editorial, S.A. de C.V.
Manuel Ma. Contreras 45-B
Col. San Rafael 06470 - México, D.F.

Tels.: 55-35-93-48 • 55-92-20-19
Fax: 55-35-92-02 • 55-35-12-17
e-mail: panorama@iserve.net.mx
http://www.panoramaed.com.mx

Printed in Mexico
Impreso en México
ISBN 968-38-0481-0

Indice

Prólogo

Sería más fácil si cada adolescente viniera con su manual de instrucción adjunto. Un manual que nos dijera cómo desmantelar su cólera, cómo movilizar sus entusiasmos, cómo apretar sin estrangular, cómo amarlo sin envilecerlo.

La adolescencia es la edad crítica, el punto de quiebre en que se forja una persona integral o se disuelve en la mediocridad un proyecto de persona que no fructificó.

Entrar en su campo es entrar en campo minado. No hay forma de hacerlo sin provocar explosiones, sin arriesgar errores, sin lastimar la sensibilidad agudizada de los jóvenes.

Pero nadie nos pregunta si queremos criar a un adolescente o si podemos educarlo. La vida nos lo endosa en forma inmisericorde.

Ya podemos defendernos diciendo que es la edad de la "aborrescencia", que son unos iletrados y que desespera su lenguaje reducido a "¡Está perrón!" y "A tipo que . . .".

Sean como sean, están entre nosotros, reclaman nuestro amor y el cuidado delicado de invernadero.

El manual que no viene con cada adolescente lo tiene usted en sus manos. Pablo Mier y Terán, educador, se propuso elaborar este volumen sobre la adolescencia.

Es un verdadero manual porque contiene instrucciones, diagramas, fórmulas y contrafórmulas. Es el resultado de un curso en una escuela para padres de familia, se enriquece con las aportaciones de muchos de ellos y con la experiencia en el aula y en la vida de Mier y Terán.

El formato del libro es proactivo. No se conforma con el lector pasivo o con la reflexión teórica. Reclama estudio, apuntes y compromiso para confrontar la teoría con la dramática realidad de nuestros hijos.

No se habla de los adolescentes en frío pero sí con la objetividad del científico social. En cada listado, en cada descripción descubrimos el rostro de los hijos, la experiencia del vecino, el reto para un muchacho de carne y hueso y para su familia.

Si usted no tiene un adolescente en torno, si ya se le olvidó lo que es ser adolescente y si va a vivir el resto de su vida en una colonia marciana, este volumen no tiene sentido para usted.

Para los demás, ofrece la oportunidad de comprender una etapa de nuestra vida que nos dejó cicatrices, frustraciones y sueños que aún no acabamos de realizar.

Todo lo cual sigue siendo importante, tengamos la edad que tengamos, porque a cada vuelta de la vida nos encontramos con la responsabilidad de escuchar y orientar a algún jovencito, propio o ajeno.

Y sólo podemos ayudarlos desde la perspectiva de nuestra propia experiencia.

Resulta aleccionador y estremecedor descubrir cómo nos ven los adolescentes, cómo evalúan nuestras acciones como madres y padres.

El enfoque psicológico, por supuesto, no está reñido con el enfoque cristiano. La reflexión no tiene sentido si no conduce a una ética del comportamiento.

Cómo entender a un adolescente. Ese es el desafío que aquí empieza.

Jorge Villegas

Monterrey, N. L., 1o. de noviembre de 1993

Introducción

Imagina en el circo un trapecista que se mece en un columpio a gran altura y en determinado momento se suelta de éste y viaja por el aire en búsqueda del otro columpio . . . Ese momento, tan dramático y arriesgado, es la adolescencia. El primer columpio es la niñez y el segundo la edad adulta.

En la vida existe una época llamada niñez, que comprende de los 0 a los 12 años, y que termina cuando se inicia la adolescencia, que suele durar de 6 a 8 años hasta que el hombre inicia su madurez. La niñez y la edad adulta son épocas más sólidas y estables, épocas de menor riesgo.

El símil del columpio me parece acertado porque la adolescencia inicia cuando se deja de ser niño y finaliza cuando se comienza a ser adulto. Adolescente, ni en un columpio ni en otro, en el aire, con todos los riesgos que esto supone.

Y es que el hombre está obligado a soltarse del primer columpio, no puede ser un infante permanente. Estar en el aire es riesgo, aventura, sorpresa, novedad, indefinición . . . El adolescente se caracteriza efectivamente por eso, porque no es nada, es pura potencialidad: no es nada y puede ser todo; un adulto ha definido ya su vida: por ejemplo, se ha casado, ha elegido una profesión, etc.; en cambio el adolescente aún no ha definido nada, y pensemos no sólo en su estado civil o profesión, pensemos en sus aficiones, su estilo de hacer las cosas, sus vicios, sus virtudes, sus aventuras.

El niño tampoco se ha definido, pero en cierto modo no se ha descubierto y, por tanto, aunque es y existe no tiene plena conciencia de ello. En cambio, el adolescente sí tiene conciencia de sí, pero aún no es nada; es por ello que la indeterminación reside en la base de esta etapa de la vida.

En la adolescencia no se es nada y se puede ser todo; es la edad de la indeterminación. La experiencia nos dice que es en la adolescencia cuando comienza a fraguar la personalidad: cuántos niños buenos caen con el paso del tiempo en conductas perversas, o cuántos niños caóticos terminan siendo excelentes personas.

A esa indeterminación habrá que sumar la rebeldía, la pereza, la incomunicabilidad y otros rasgos típicos de la adolescencia, que estudiaremos más adelante, y hacen el cuadro más crítico.

Y más crítico cuando los padres no entienden los cambios y la peligrosidad de esta época, que además se desarrolla hoy en un ambiente de continua y agresiva invitación a la droga, el alcohol, el sexo . . . a la mediocridad.

Algunos adolescentes salen adelante gracias a sus padres, otros, sin sus padres y otros a pesar de sus padres; ¿en qué grupo se coloca usted? Sin embargo, otros adolescentes no salen adelante . . . por sus padres, quizá; o a pesar de ellos.

Un adolescente, ya lo dijimos, no es nada, y lo puede todo . . . Depende de él –desde luego–, pero también de sus padres, que ese todo se vaya concretando en realidades. El mayor problema del adolescente hoy es que sus padres no lo entienden, no lo ayudan, y en muchos casos le complican la vida.

Por medio de estas líneas quiero invitar a los padres de todos los adolescentes, de los jóvenes que dirigirán el siglo XXI, a que asuman su papel, se propongan conocer a sus hijos, entiendan el medio en el que se desenvuelven y les ayuden a ser ese profesional exitoso, ese padre de familia responsable, ese hombre coherente y ese ciudadano íntegro que el mundo requiere. Para ellos escribo este libro. Los invito a leerlo.

Todo trapecista requiere un instructor, un observador y una buena red. Ojalá seas tú, buen padre, el instructor y el observador de tu adolescente . . . ¡Ah!, y no se te olvide ponerle una red que le suavice siempre sus caídas . . . Pero déjalo ser trapecista; si no, jamás será un hombre maduro.

1

Cómo entender a un adolescente

Los hijos son pedazos de las entrañas de sus padres,
y así se han de querer, por buenos o malos que sean,
como se quieren las almas que nos dan la vida.

Don Quijote de la Mancha II, cap. 16

En este capítulo vamos a ofrecerles a los padres de los adolescentes toda la información necesaria para que puedan comprender mejor a sus hijos.

Para las personas que llevamos años tratando con adolescentes es muy triste comprobar que un alto porcentaje de los problemas que enfrenta una joven o un joven serían mucho más sencillos, e incluso desaparecerían, si sus padres los comprendieran mejor.

La primera idea que me gustaría dejar clara es que un adolescente no es un niño grande ni un adulto chiquito; es un adolescente y atraviesa por una etapa de la existencia tan definida como la niñez o la edad adulta, pero más peligrosa.

"Mis papás no me entienden" es la queja más habitual del joven de hoy . . . "No entiendo a mi hijo, ya no lo aguanto" es, por otro lado, el comentario frecuente de muchos papás. Comencemos a entender la adolescencia.

Algunas definiciones de adolescencia

"La adolescencia ha sido hasta hace poco la cenicienta de las etapas de la vida, la desgraciada Polonia situada entre dos países poderosos . . . No es una infancia que se agosta ni un mero embrión de edad adulta, sino una etapa con ser y valor plenos . . . No es una fase más de la existencia, sino una realidad total y compleja, un mundo" *Debesse, M.*

- "Fenómeno bio-psicosocial ubicado en la transición de la infancia a la adultez" *Ignacio Maldonado.*
- "Periodo vital que amplía el desprendimiento irreversible del cuerpo infantil y el desarrollo de una nueva imagen corporal. Es durante esta etapa que la disyuntiva entre progresión y regresión se presenta con mayor intensidad en virtud de que constituye un tránsito entre la niñez y la vida adulta" *Alejandro Yehuuda.*
- "Es la etapa de transición de la vida de un niño a la vida de adulto. Se caracteriza por cambios físicos significativos que culminan en la madurez sexual. Estos cambios físicos se ven como un índice de ingreso a la adolescencia, pero ésta es más que un periodo de cambios físicos, también lo es de cambio en el conocimiento. El adolescente se mueve en un pensamiento vinculado con lo concreto, el aquí y el ahora, a un pensamiento ligado también con lo abstracto y lo futuro. También es un fenómeno social que varía de cultura a cultura. En algunas culturas es muy breve o no existe, en otras va más allá de los límites de los cambios de la pubertad" *Terry Faw.*
- "Adolescencia es la edad en que los padres se ponen imposibles; prohíben todo y no comprenden nada" *adolescentes.*
- "Adolescencia es cuando de pronto un niño comienza a decir que no y cambia la casa por la calle y a los papás por los amigos" *papás.*
- "Adolescencia es cuando un niño estudioso deja de serlo; le importaba mucho ser el número uno en el salón, y ahora le importa menos" *profesores.*

¿Qué le sucede a mi hijo? ¿Por qué se comporta así?

Calma, ante todo serenidad y calma. Creo que la paciencia es la virtud más importante para un papá con hijos adolescentes.

De pronto los muchachos o las muchachas comienzan a portarse distinto. Sucede, por ejemplo, que

- se vuelven desobedientes
- no cuentan en casa lo que hacen en la calle
- llegan tarde
- sólo quieren calle
- se irritan continuamente sin motivo
- descuidan su atuendo personal
- en su habitación reina el desorden
- de pronto huelen a alcohol o a cigarro . . .

Calma papá, calma mamá, nada de esto es el fin del mundo; es simplemente la señal de que tu hijo ya no es un niño y de este modo te lo está diciendo.

Lo que le sucede al adolescente es que descubre su propio yo, se da cuenta de que él es él . . . que es –por decirlo de algún modo– dueño de sí mismo, y al darse cuenta de esto, de que él posee su factura, su relación con los demás y consigo mismo, cambia.

García Hoz lo explica magistralmente: "La adolescencia es el comienzo de un crecimiento cualitativo, lo cual vale tanto como decir que es el nacimiento de algo en el hombre . . . No es nacimiento del hombre, sino nacimiento de algo en el hombre, y ese algo no es otra cosa que la propia *intimidad*".

¿Y es malo que esto suceda?

No, definitivamente no. Es necesario que en el adolescente vengan estos más o menos violentos brotes de rebeldía, cambios en el carácter, alteraciones, que acompañan el descubrimiento del yo, el nacimiento de la intimidad. Sin intimidad no hay madurez y sin el descubrimiento del yo no hay intimidad. Los pasos son claros:

- Descubro mi propio yo
- Nace la intimidad
- Voy camino de la madurez

El nacimiento de la intimidad es bueno, es necesario, es indispensable; sin ella el hombre sería siempre un niño, de modo que podemos decir, sin miedo a equivocarnos: Bienvenida a mi hijo adolescencia, que sacas a los hombres de la infancia para llevarlos a la madurez

Entonces, ¿dónde está el problema?

Ya tendremos oportunidad de analizar más a fondo esta cuestión; por ahora simplemente comentaremos que si los adolescentes ahora son tan turbulentos es porque no dejamos que la intimidad nazca bien, sana y robusta.

Estos tres pasos:

- Descubrimiento del yo
- Nacimiento de la intimidad
- Madurez

sólo en el papel se dan por separado, pero tienen posibilidades de desviación: si al descubrimiento del yo no le sigue el nacimiento de la intimidad, el hombre no madura, se hace frívolo.

Frivolidad es cuando un adulto o adolescente piensa o reacciona como niño; por ejemplo, porque sólo piensa en su radio o en los rines del auto.

Las opciones son:

- Hay cultivo de la intimidad, habrá madurez
- No hay cultivo de la intimidad, habrá frivolidad

En el capítulo 4 explicaremos detalladamente cómo fomentar el cultivo de la intimidad en el adolescente.

Otras consecuencias del descubrimiento del yo

El adolescente quiere valerse por sí mismo.

Hay una serie de rasgos en el comportamiento del adolescente que no son otra cosa que una expresión hacia fuera de la afirmación interior:

- Obstinación
- El espíritu de independencia total
- El afán de contradicción (llevar la contraria por sistema, sobre todo a los padres)
- El deseo de ser admirado
- La búsqueda de la emancipación del hogar
- La rebeldía ante las normas establecidas

La tendencia a la autoafirmación, que en sí es algo normal y necesario para el desarrollo de la personalidad naciente, crece desmedidamente y se radicaliza ante las actitudes negativas de los mayores: rigidez, incomprensión, autoridad arbitraria . . .

Un binomio importante: autoafirmación, inseguridad.

Decimos binomio importante porque en el adolescente pura autoafirmación nos da rebeldía y pura inseguridad nos da timidez. Lo lógico y habitual es la suma de ambos, ya que junto al conocimiento de las propias posibilidades, con la consiguiente autoafirmación, el descubrimiento del "yo" produce en el adolescente, desde el principio, "una conmoción de la seguridad en sí mismo y, en consecuencia, la aparición de sentimientos de duda e inferioridad".

La autoafirmación es el motor que hace posible que se inicie y mantenga el proceso; la inseguridad (ante las dificultades por superar o los fracasos sufridos) es un estado crítico que le permite al adolescente ganar en humildad y realismo y, en otro plano, le crea al mismo tiempo la necesidad de saber encajar los fracasos y aprender a reaccionar positivamente ante ellos.

Fases y características de la adolescencia

Con base en los estudios de Gerardo Castillo, una de las máximas autoridades sobre el tema, podemos clasificar la adolescencia en tres fases:

Fase	*Edad* ♂	*Edad* ♀	*Nombre*
1ª	12-14	11-13	Edad ingrata (sensibles)
2ª	15-17	14-16	Edad impertinente (rebeldes)
3ª	18-21	17-20	Edad de ideales (quijotescos)

Enumeramos a continuación una serie de características de la adolescencia y su relación más directa con cada una de las tres fases típicas.

	Fases		
	1ª	*2ª*	*3ª*
1. Nacimiento de la intimidad	×		
2. Fortalecimiento de la amistad	×		
3. Inestabilidad emocional	×		
4. Incremento de la sensibilidad	×		
5. Rebeldía ante los mayores		×	
6. Actuación en grupo	×	×	
7. Deseo de hacerse notar	×	×	
8. Motivables	×	×	
9. Viven el presente, no tienen visión a largo plazo	×	×	×
10. No aceptan lo impuesto		×	

	Fases		
	1ª	2ª	3ª
11. Muchos propósitos, pocos resultados			×
12. Admiran e idealizan a personas	×		×
13. Tienen necesidad de cariño, aunque no lo expresan	×	×	×
14. Nacen los primeros impulsos sexuales	×		
15. Necesitan ser escuchados	×	×	×
16. Esperan mucho de los mayores	×	×	
17. Les preocupan temas como drogas, sexo, divorcio, anticonceptivos, sida	×	×	
18. Se inician en serie los complejos	×	×	
19. Interés por el otro sexo, ahora las niñas lo manifiestan más	×	×	
20. Tiende a bajar la religiosidad	×	×	×
21. Son sensibles a ayudar a los necesitados	×	×	×
22. Les gusta el deporte	×	×	×
23. Aceptan la moda sin criterio propio	×	×	
24. Pierden el gusto por los museos, las exposiciones	×	×	
25. Pierden la espontaneidad		×	×
26. Les cuesta fijarse límites	×	×	×
27. Volubles en sus aficiones	×	×	
28. Hacen amigos en el deporte	×	×	×
29. Se alejan del hogar		×	×
30. Poco sociables con adultos	×	×	×
31. No se conocen	×	×	
32. Son radicales		×	
33. No aceptan fracasos	×	×	
34. Les molesta que tomen lo suyo	×	×	×
35. Les enoja el trato injusto	×	×	
36. No les gusta recibir consejos	×	×	

Cómo se ha manifestado la adolescencia en mí

Presentamos a continuación algunos testimonios de muchachos y muchachas de 13 a 16 años que nos parecen sumamente interesantes para terminar de entender esta importante etapa de la vida.

• ***Sincero***

"La adolescencia en mí se ha manifestado en que me han empezado a salir algunos barros."

"Cuando mis papás me mandan a hacer algo me da flojera y les digo que no lo voy a hacer, aunque al final de cuentas lo hago de mal humor."

"Cuando me preguntan algo, trato de responder educadamente, pero hay veces que pierdo la paciencia y les contesto groseramente, aunque no lo quiera."

"Yo no quería a mi hermano porque él es más chico y le daban mayor atención y eso me hacía enojar, pero ahora que lo pienso con más madurez, lo quiero mucho."

• ***Esquemático***

"La adolescencia se ha manifestado en el carácter de mi personalidad."

"En los cambios físicos."

"En los modos de pensar."

"En la forma de trabajar."

"Me son más difíciles de vencer las tentaciones."

"En pensar en el sexo opuesto."

"Empezar a aprender a amar."

"En una lucha contra mi alma y mi cuerpo."

"En pensar las cosas antes de hacerlas."

"En aguantar o sacrificar un poco más."

"Me he apartado un poco de Dios."

"Soy más ocioso."

"En elegir mejores amigos."

- ***Lobo***

"Bueno, se me ha manifestado la adolescencia así: me ha crecido el pelo en mis piernas. He llegado a pensar que mis piernas son de un lobo. Viendo una foto de 6º y viéndome al espejo, creo que he cambiado. Me he vuelto más bueno. Un poco más enojón, pero quiero controlarme. Hace tiempo me he fijado más en las chavas."

- ***Cambios***

"Me molesta que mi mamá hable de mis cosas en público."

"Me enojo con frecuencia."

"Me gusta soñar despierto y me molesta que me interrumpan."

"Me he vuelto flojo."

"Me molesta mezclar las cosas de la escuela con las cosas de la casa."

"Me he vuelto peleonero."

"Me gusta pensar mucho en el futuro."

"Me molesta la escuela."

"Antes era más tímido."

"Antes era más pacífico."

- ***Sueños***

"Yo choco mucho con mis papás porque me regañan por cualquier babosada y hay veces que ya no los aguanto.

"Con las maestras a veces sí checo (no les digo nada), pero hay veces que estoy a punto de estallar.

"Siento que no me comprenden ni mis papás ni las maestras (como que viven en otra época).

"Ahora lloro por cualquier babosada; no sé por qué, pero siempre me pasa eso.

"De cambios físicos, muy pocos; no sé si ya me desarrollé toda o no, pero siento que en lo físico sigo siendo una niña (con poquito de adolescente).

"Con mis amigas me llevo súper, porque nos entendemos (no vivimos en otra época como los papás y las maestras).

"Me he vuelto más rebelde, ya no le hago tanto caso a mis papás o las maestras.

"Me encantan los niños, y sobre todo los que tienen 13, 14 y 15 años. Ahorita sueño con tener novio, pero mi mamá dice que no, porque luego no conozco niños. Al contrario, conozco más.

"Siempre que voy a Plaza o a tardeadas, me la paso viendo a los niños, que algunos están que no se la acaban.

"En fin, sueño con tener novio, y/o que me manden rosas y yo no sé, pero me encanta soñar con eso. ¡Ah!, y que me hablen por teléfono o que me vengan a buscar al colegio.

"Pero los niños de 13, 14 y 15 años, bueno, la mayoría, siguen siendo niños."

- ***Rebelde***

"Mi forma de pensar ya no es la misma."

"Las cosas que me gustan."

"Ahora por algo que me dicen, me siento muy fácil."

"En la relación con mis hermanos, ya es diferente; ahora compartimos más, pero tenemos muchas diferencias."

"En la relación con mis papás siento que es un poco difícil; no me peleo con ellos, pero hay muchas cosas que, no estoy de acuerdo con ellos, y si a ellos no les parece algo, a veces yo lo hago sin su consentimiento."

"En los estudios, ya soy un poco más estudiosa, ya hago todas las tareas y me preocupo por mis cosas."

"En mi conducta, creo que me destapé un poco; antes casi no platicaba en clases ni hacía relajo, y ahora sí."

"Empiezo a escoger a mis amistades; hay cosas de las otras niñas que no me gustan y no me adapto a ellas".

"Ahora ya no salgo tanto como antes, como que a veces quiero estar tranquila en mi casa, y antes todo el día estaba con amigas fuera de mi casa."

"Ahora me intereso por cosas que antes no me hubiera imaginado que me interesarían."

"Me he empezado a rebelar con todo mundo"

"Mis cambios físicos, pues como toda niña de mi edad."

"Me gusta relacionarme ya no con chavos de mi edad o más chicos, sino más grandes."

"Veo diferente las cosas."

"Ahora me importa más el qué dirán."

La adolescencia en dos canciones

Son dos canciones que la banda Timbiriche les canta a los adultos, sus padres. Te invito a leer la letra.

¿Qué es un adolescente?

Qué difícil tiempo para amar
heredando miedo
donde sueño libertad.
Tengo que callar una vez más,
mis palabras sobran
donde hablan los demás.
Me falta edad y sin embargo
no soy sólo la mitad
de un sentimiento.
Soy capaz de mi destino,
soy un punto en el camino,
lo que fuiste alguna vez.
Mírame, siénteme,
soy de carne y huesos,
no soy un reflejo
y no es malo lo que siento.
Mira, soy cuestión de tiempo.
Mírame, siénteme,
soy de carne y huesos,
no soy un espejo.
Oye, soy mi propio vuelo.
Mira, soy cuestión de tiempo.

Qué difícil tiempo para amar,
si me obligas, miento,
no te quiero lastimar.
Tengo que callar
una vez más,
sólo pensamientos,
no es momento para hablar.
Me falta edad
y sin embargo
no soy sólo la mitad
de un sentimiento.
No soy eco, soy sonido,
soy un punto en el camino,
lo que fuiste alguna vez.
Mírame, siénteme,
soy de carne y huesos,
no soy un reflejo
y no es malo lo que siento.
Mira, soy cuestión de tiempo.
Mírame, siénteme,
soy de carne y huesos,
no soy un espejo.
Oye, soy mi propio vuelo.
Mira, soy cuestión de tiempo.
Mírame, siénteme.

Quinceañera

Yo no sé
por qué me siento hoy tan diferente,
por qué no quiero nada con la gente.
¿Qué será? Yo no sé.
¿Por qué mi cuerpo cambia día con día
y siento que yo ya no soy la misma?
¿Qué será? ¿Qué será?

Ahora despierta la mujer que en mí dormía
y poco a poco se muere la niña,
empieza la aventura de la vida.

Ahora se enciende como un sol la primavera,
mis sueños se convierten en promesas,
me cambia el corazón de quinceañera.
Yo no sé
por qué mi cuerpo cambia día con día
y siento que yo ya no soy la misma.
¿Qué será? ¿Qué será?

Ahora despierta la mujer que en mí dormía
y poco a poco se muere la niña,
empieza la aventura de la vida,
empieza la aventura de la vida.

Ahora se enciende como un sol la primavera,
mis sueños se convierten en promesas,
me cambia el corazón de quinceañera.

Breve estudio sobre la caracteriología

El carácter se refiere, ante todo, a las manifestaciones anímicas del hombre, Según Adler, "es el modo de actuar del individuo sobre el mundo circundante y de relacionarse con él". Viene a ser la manera como cada persona se enfrenta con el mundo, usando para ello sus distintas facultades.

Con el carácter se nace, pero también se hace, o mejor dicho, se va haciendo a base de experiencia y educación.

Según Le Senne, el carácter tiene tres propiedades fundamentales: emotividad, actividad y resonancia, que al combinarse entre sí dan como resultado ocho tipos de carácter.

Conoce el carácter de tu hijo

Es importante que los padres de los adolescentes tengan conocimiento del carácter de su hijo, pues de este modo podrán comprenderlo mejor y ayudarlo más.

Cómo conocer el carácter de mi hijo

Señala las cuestiones que aparecen a continuación sobre su emotividad, actividad y resonancia, según coincidan con el comportamiento de tu adolescente; aquella que obtenga mayor número de coincidencias es la que predomina.

EMOTIVIDAD

Emotivo (E)	*No emotivo* (nE)
1. Exageradamente conmovible	1. No se ruboriza ni palidece nunca
2. Violento en la expresión; habla con entusiasmo	2. Habla sin prisa: cambia de voz
3. Susceptible	3. Insensible a la bronca
4. Inclinado a criticar: protesta	4. Indiferente: no protesta
5. Salta de la alegría a la tristeza	5. Sin cambios repentinos de humor
6. Siempre impaciente	6. Paciente ejemplar
7. Ríe y llora mucho	7. Nunca ríe ni llora
8. Sentimientos internos	8. No
9. Muy charlatán	9. Habla muy poco
10. Imaginación muy rica	10. Sin imaginación

ACTIVIDAD

Activo (A)	*No activo* (nA)
1. Siempre en acción	1. Siempre perezoso
2. Siempre atento a hacer	2. Soñar o perder el tiempo
3. Gran rendimiento	3. Poco trabajo útil en mucho tiempo
4. Preferible el trabajo impuesto	4. Siente horror al trabajo impuesto
5. Cumple su tarea sin demora	5. Tiende a aplazar
6. Persevera; se siente animado por las dificultades	6. Se desalienta
7. Muy combativo	7. Nada combativo
8. Muy decidido	8. Muy indeciso
9. Emprende el trabajo rápidamente	9. Muy lento para iniciar el trabajo
10. Práctico y desenvuelto	10. Sin ningún sentido práctico

RESONANCIA

Primario (P)	*Secundario* (S)
1. Fácil de consolar	1. Mucho tiempo bajo una impresión
2. Se reconcilia fácilmente	2. Difícil de reconciliar
3. Muy inconstante con sus simpatías	3. No cambia nunca de compañeros
4. Entusiasta del cambio	4. Enemigo de la novedad o el cambio
5. Muy fácil de convencer	5. Imposible de convencer
6. No mantiene sus promesas	6. Hace lo imposible por cumplir sus promesas
7. Sólo piensa en lo inmediato	7. Piensa con frecuencia en las mismas cosas (lo que le preocupa)
8. Abiertamente indiferente	8. Ansioso e inquieto normalmente
9. Siempre dispuesto a transgredir la ley	9. Muy respetuoso de la ley
10. Incapaz de resistir la presión	10. Capaz de dominar sus impulsos

Una vez definido si tu hijo o hija es emotivo (E), o no emotivo (nE), activo (A) o no activo (nA) y primario (P) o secundario (S), podrás saber cuál es su carácter.

Fórmula	*Carácter*
E, A, P	Colérico
E, A, S	Apasionado
E, nA, P	Nervioso
E, nA, S	Sentimental
nE, A, P	Sanguíneo
nE, A, S	Flemático
nE, nA, P	Amorfo
nE, nA, S	Apático

Conociendo cuál es el carácter de tu hijo, valora los aspectos positivos, negativos, consejos para su educación, posibilidades profesionales y estado físico. Sabiendo qué es un adolescente y conociendo qué carácter tiene, estarás en condiciones de comprenderlo y ayudarlo.

  ENTENDER LA ADOLESCENCIA
+ CONOCER EL CARACTER DE MI HIJO

ESTAR EN POSIBILIDADES DE AYUDARLO

Dicho de otro modo, si no entiendes lo que es la adolescencia y no conoces el carácter de tu hijo, estás incapacitado para ayudarlo.

Presentamos a continuación un texto de Gerardo Castillo sobre el carácter de los hijos:

"Diariamente nos encontramos con muchachos (y adultos) coléricos, apasionados, nerviosos, sentimentales, etc. Pero no se puede pretender que encajen exactamente dentro de la clasificación anterior. Las clasificaciones del carácter son una ayuda para conocer a la persona, pero nada más. La personalidad humana es tan original y compleja que no se puede registrar en un fichero.

"Además de los ocho tipos citados existen tipos intermedios: **coléricos para apasionados**, cuando la primariedad no es muy acusada; **nerviosos para amorfos**, cuando la emotividad no es alta; **sentimentales para apasionados.**

"Conviene no olvidar que el carácter evoluciona, es decir, cambia con el tiempo. Un riesgo que siempre existe es el de considerar a una persona a lo largo de toda su vida de acuerdo con el tipo de carácter que tenía en la infancia. Esto equivale a **etiquetarla** como si fuese un objeto. Cada tipo de carácter puede ir poco a poco aproximándose o alejándose de otros.

"Es muy aconsejable, por último, que los padres no se dejen influir por el carácter de cada hijo hasta el punto de simpatizar más con unos que con otros, o de dividirlos en **buenos y malos.** Cada tipo de carácter tiene sus posibilidades y sus limitaciones, sus ventajas y sus inconvenientes (algunos más inconvenientes que ventajas), pero a todos se les puede sacar partido con una educación individualizada".

¿Cómo conocer el carácter de los hijos?

¿Cómo es y cómo obra el muchacho en virtud de su tipo de carácter?

¿En qué medida es distinto en cada caso su comportamiento?

¿Qué posibilidades y limitaciones hay en él como consecuencia de su carácter?

Estas son interrogantes a las que contestaremos a continuación, las cuales, coincidiendo con Gerardo Castillo, son válidas tanto para varones como para mujeres.

Los tipos de carácter

Carlos, **nervioso,** no tiene muy buen aspecto físico: es más bien flaco y poco musculoso. Es inquieto y anda siempre en busca de ocupaciones nuevas. Tan pronto se le encuentra entusiasmado como abatido. Para salirse con la suya con frecuencia se deja llevar por los nervios, pero se le pasa pronto. Tiene muchas dificultades a la hora de ordenar sus cosas y distribuir el tiempo. En ocasiones le gusta soñar, dejarse llevar por la fantasía . . .

En clase suele pasarla mal a causa de que es muy distraído, trabaja a sacudidas y no puede estar quieto ni un momento. Se le da muy bien la lectura y el dibujo; en cambio, en matemáticas ya es otra cosa . . .

No le gusta estar solo y es muy aficionado a las diversiones. Es generoso y sensible, pero suele llegar tarde a todas partes; no es muy aficionado a decir la verdad; le gusta presumir y, en ocasiones, se enfada por cualquier tontería . . .

El nervioso necesita de modo especial que sus padres sean optimistas, pacientes y generosos. En los momentos de enfado es preferible no discutir ni enfrentarse con él (hacerle el vacío); habrá que esperar a que la cólera desaparezca para revelarle con serenidad y delicadeza los defectos de su carácter. De nada servirán los reproches: es preferible hablarle al corazón, ayudarle a organizarse en sus ocupaciones y poner metas a su alcance elogiando los éxitos progresivos.

Hay que rodearle de un ambiente de calma y fomentar el autocontrol. Es recomendable darle encargos fijos y concretos en el hogar, que le responsabilicen y le ayuden a adquirir hábitos de puntualidad, orden y trabajo.

Pablo, **colérico,** es alto y fuerte. También algo desgarbado. Suele estar muy contento y dispuesto a hacer cosas. Le gusta el trabajo en equipo y estar rodeado de amigos. A pesar de que es cariñoso, en ocasiones tiene reacciones muy violentas, sobre todo cuando se le quiere dominar.

A Pablo le interesa todo, pero quizá lo que más el coleccionismo. En clase no tiene problemas con tal de que no necesite pensar demasiado. Tiene mucho éxito en trabajos manuales y geografía; le van muy bien los exámenes orales a causa de su facilidad de palabra. En ocasiones pone nervioso al profesor porque no le gusta estar sin hacer nada.

Es generoso, alegre, servicial, compasivo . . . pero poco disciplinado y rebelde.

Al colérico convendrá proponerle constantemente actividades interesantes, respetar sus proyectos, demostrarle en todo momento nuestro aprecio, fomentar el dominio sobre sí mismo, ayudarle a disciplinar su trabajo, no admitir la chapucería, estar al tanto de sus camaraderías . . .

Alberto, **sentimental,** es muy distinto a Carlos. Prefiere estar solo y ocupado en lo de siempre. Suele pensar que nadie le quiere y que todo el mundo se olvida de él. También es muy tímido y piensa que nada le saldrá bien.

Casi siempre está enfadado debido a que se ofende por casi todo; además, le dura mucho el disgusto. En clase se desmoraliza tan pronto aparece la primera dificultad: suele acabar tarde los ejercicios, porque es muy lento en el trabajo, pero quedan muy bien presentados; tiene facilidad para la redacción, la historia y la literatura, y dificultad para la aritmética.

Es puntual, honrado y veraz; en cambio, desconfía de los demás y tiene muchas manías.

El sentimental necesita igualmente un clima, en casa, de afecto y simpatía; los padres deben infundirle confianza en sí mismo y estimular la participación en juego y actividades colectivas. Se le puede ayudar a decidir por medio de encargos de dificultad creciente. Hay que hacerle ver el lado positivo de las cosas y acostumbrarle a que siga un orden lógico en su razonamiento.

Josemaría, **apasionado,** es de cara ancha y nariz recta. Entiende en seguida cualquier cosa, tiene habilidad y mucha capacidad de trabajo; casi todo le sale bien; tiene pocos problemas, pero a veces es muy violento.

En el colegio siempre se le ve ocupado: devora todos los libros que encuentra y le encantan las tareas de la clase; alcanza buenos resultados en todas las asignaturas y prefiere trabajar aislado de sus compañeros.

Josemaría es puntual, perseverante y sobrio; en cambio, es poco valeroso y mal deportista.

La educación del apasionado consistirá en integrarlo en las actividades colectivas (trabajo, deporte, etc.) y en acostumbrarle a conocer los límites de su poder. La autoridad ha de ser comprensiva y convincente. Conviene hablarle al corazón y habituarle a meditar en sus actos.

Javier, **sanguíneo,** es muy curioso; se interesa por todo lo que le rodea y le gusta descubrir los secretos de las cosas. Es muy frío, parece como si no tuviera sentimientos, todo lo calcula . . .

Suele estar contento y tranquilo. Siente una inclinación especial hacia la jardinería, los animales y las máquinas.

Es inteligente, trabajador, con espíritu práctico, pero deja las tareas inacabadas debido a que quiere cambiar constantemente de ocupación. Lee todo lo que cae en sus manos; prefiere las asignaturas que tratan de asuntos concretos: ciencias naturales, física . . .

Habla mucho, es afectuoso y sociable, miente con facilidad para conseguir lo que se propone, se exige poco a sí mismo, es egoísta y amigo del dinero.

La misión del educador con respecto al sanguíneo es hacerle más profundo, más original y más generoso. Las actividades especiales servirán para cultivar su sensibilidad (trabajos manuales, pintura, música, etc.). Un ambiente familiar cálido puede despertar su emotividad y acostumbrarle a aceptar cierto sacrificio personal en beneficio de los demás. Habrá que darle responsabilidades concretas y exigirle que termine bien sus trabajos.

Felipe, **flemático,** es un muchacho enclenque y enfermizo. Se encuentra siempre en calma y con el mismo humor. Es ordenado, poco hablador y muy reflexivo. Normalmente no crea dificultades a sus padres y profesores; suele estar solo, jugando con el mecano o el rompecabezas. Es como una persona mayor por su seriedad y sentido común.

Sus libros, pupitre y cuadernos son un modelo de orden y limpieza. Cuida mucho sus cosas y sigue al pie de la letra todos los horarios. Razona muy bien y deja su trabajo exactamente hecho; prefiere trabajar solo y, aunque pensando es un poco lento, obtiene buenos resultados en todas las materias. Es trabajador, puntual y honrado, sincero y obediente, pero bastante maniático.

Con el flemático la misión de los padres es lanzarlo a la vida: que adquiera hábitos de colaboración y convivencia, despertar en él nuevas inquietudes e intereses, animarle a tomar parte en actividades colectivas (culturales y deportivas), procurar que participe en las tareas del hogar, ponerle en contacto con la naturaleza . . .

Daniel, **amorfo,** es obeso y con el rostro dilatado y sin relieve. Lo deja todo para última hora y trata de que le ayuden los demás. Es muy perezoso.

Lo que más le gusta en la vida es comer y dormir; nunca se sabe cuándo abandonará la mesa o dejará la cama.

Entre sus compañeros tiene fama de torpe y pasmado. Además es poco original y se deja arrastrar por el ambiente. En clase nunca está bien sentado; da la impresión de que jamás tiene ganas de hacer nada; no le interesa casi ninguna asignatura; es poco brillante en el razonamiento y carece de habilidad para los trabajos prácticos. Suele defenderse en ciencia, geografía y dibujo.

Es un muchacho valiente, sociable, dócil, tolerante y optimista, aunque poco puntual, desordenado, derrochón y egoísta.

El amorfo necesita una autoridad firme y una vigilancia exacta y constante de su actividad, con el fin de vencer la pereza. La familia debe darle ejemplo de energía y entusiasmo. Convendrá señalarle obligaciones fijas, trazarle un horario y no admitir pretextos para eludir las responsabilidades. Tratar, asimismo, de que siga un plan de pequeños sacrificios en torno al sueño y la comida. El estudio debe ser lo más activo y práctico posible.

Félix, **apático,** es delgado, poco musculoso, pálido, de rostro ovoide y mirada suave y vaga. Nunca se sabe lo que piensa y siente, debido a que no lo expresa. Suele permanecer cerrado en sí mismo, con una melancolía constante.

CARACTER	*ASPECTOS POSITIVOS*	*ASPECTOS NEGATIVOS*	*CONSEJOS PARA SU EDUCACION*	*POSIBLE PROFESION*	*FISICO*
Colérico	Activo, enérgico, práctico	Impulsivo, orgulloso, poco orden, poco amable	Enseñarle a pensar, tenerle paciencia	Independiente, buen director	Alto, fuerte desgarbado
Apasionado	Tenaz, constante generoso, responsable	Susceptible, desconfiado, crítico, exigente, indócil	Hablarle con fuerza y claridad, hacerlo pensar, que se integre al grupo	Militar, político, director	Cara ancha, nariz recta
Nervioso	Sensible, generoso, imaginativo	Excitable, inconstante, imprevisor, falto de dominio	Que sea más racional, perseverancia	Decoración, dibujo, escritor, modas/azafatas	Flaco, alto
Sentimental	Sentimientos profundos, perseverante	Indeciso, susceptible, egoísta, melancólico, tímido, inseguro	Requiere afecto, Motivarlo, darle confianza	Buen redactor, trabajos de oficina	
Sanguíneo	Locuaz, compasivo, práctico, dócil	Superficial, inconstante, egoísta	Que profundice, que aprenda a dar y darse	Periodista, relaciones públicas, publicidad, profesor	
Flemático	Tenaz, tranquilo, prudente, responsable	Apático, autosuficiente, poco sensible	Que aprenda a convivir y comprender, flexibilidad	Abogados, filósofos, matemáticos	Enclenque, enfermizo
Amorfo	Optimista, bondadoso, tranquilo, sociable	Inactivo, impuntual, desordenado	Firmeza, horario	Músicos, actores, ventas	Obeso, chato
Apático	Equilibrado, dócil	Egoísta, poco sensible, misántropo	Horario, que trate a otros	Contador, oficinista	Delgado, débil, pálido

Es muy poco animado, se aísla de los demás y tiene poca energía. En el colegio obtiene malos resultados, no le interesa casi nada y es muy poco lúcido en clase; le cuesta mucho pensar y estudiar; está dominado por la pereza.

Es enfadadizo, testarudo, cruel, irreconciliable, avaro y poco compasivo.

Los padres del apático deben crear en casa un ambiente estimulante; es preciso que el muchacho adquiera toda una serie de hábitos que le ayuden a actuar; relacionarle con amigos alegres y entusiastas; interesarse constantemente por lo que hace, destacarle las metas logradas y fomentar su participación en las actividades comunes. Hay que procurar que llegue a ser más confiado y sencillo.

Conclusión

Quisiera sugerir tres puntos claros a cuidar en la atención de un adolescente. Hemos estudiado detenidamente que se trata de una de las tres etapas básicas de la vida del hombre: infancia, adolescencia y madurez.

Sabemos también que es una etapa en la que el muchacho sufre porque vienen una serie de cambios físicos psíquicos y sociales importantes.

Por último, estamos igualmente conscientes de que el *quid* de la adolescencia es el nacimiento de la intimidad.

Sin temor a equivocarme diría que un adolescente requiere fundamentalmente que se le ayude con urgencia a *desarrollar su intimidad,* y para ello invito al lector a iniciar el capítulo dos de este libro.

2

Quiero entender el medio ambiente en el que se desenvuelve mi hijo adolescente para ayudarlo

A los padres les toca encaminar a sus hijos, desde pequeños, por los pasos de la virtud, de la buena crianza y de las buenas cristianas costumbres, para que, cuando grandes, sean báculo de la vejez de sus padres y gloria de su posteridad.

Don Quijote de la Mancha II, cap. 16

Ideas generales (aprende a ponerte en su lugar)

Para entender bien a alguien hay que ponerse en su lugar. Qué difícil es, desde una oficina o desde un hogar, comprender la realidad cotidiana de un adolescente.

¿Qué piensa?, si piensa; ¿qué opina de su familia?, ¿quiénes son sus amigos?, ¿qué lee?, si es que lee algo; ¿qué películas ve?, ¿qué platica con sus amigos? . . . ¿Y el novio, qué? ¿Tiene amigos que beben, que se drogan? . . . El o ella, ¿lo hace?

¿Dónde está?, ¿qué hace todo el día?, ¿por qué se encierra en su habitación o después de haber estado todo el día fuera no responde nada cuando se le pregunta qué hizo?

Hay que ponerse en su lugar para entenderlos, hay que conocer el medio en el que se desenvuelven, sin miedo, con profundidad. Pero, ¿cuál es ese mundo? ¿Cómo es?

Siempre que se describe la situación por la que atraviesa el mundo o cuando se quiere hacer un diagnóstico del momento actual, se corre el peligro de caer en extremos o visiones apocalípticas. El mundo del adolescente es el nuestro, pero con sus características propias.

¿Cómo es el mundo que les dejamos a los adolescentes? Urteaga describe así sus males, las enfermedades de este mundo:

"Un mundo cansado, con mucha hambre y desempleo.

"Una sociedad en la que unos pocos tienen todo y muchos no tienen nada.

"Un ambiente racionalista, insensible al encuentro con la trascendencia.

"Un individualismo egoísta que ahoga toda iniciativa de solidaridad.

"Unas conductas humanas sin valores estables, y donde el fin justifica los medios.

"Un clima de indiferencia sin respuesta al sentido de la vida, del mal, del dolor y de la muerte.

"Un pueblo cobardemente laicista por parte de los gobernantes, y tontamente permisivista por la de los ciudadanos.

"Unas costumbres donde campean la búsqueda del bienestar a toda costa, a cualquier precio.

"Una visión miope y sucia de los problemas humanos donde el sexo es un bien de consumo.

"Una tierra sin paz, triste, injusta, en la que se ha marginado a Dios y en la que cada uno va a lo suyo".

El gobierno de Estados Unidos mandó hacer hace tiempo un estudio sobre la juventud en ese país; se le llamó Informe del Código

Azul y se terminó en 1990. Estos son los siete puntos básicos a los que llegaron:

1. Más de un millón de adolescentes embarazadas cada año, es decir, una de cada diez, proporción al menos del doble de la que se registra en la mayoría de los demás países industrializados.
2. Más de 400 000 adolescentes que abortan al año.
3. Duplicación de la tasa de suicidios de adolescentes con respecto a 1968, de modo que el suicidio se ha convertido en la segunda causa de muerte entre la población de esa edad.
4. Un número treinta veces mayor que en 1950 de jóvenes de 14 a 17 años detenidos anualmente.
5. El homicidio es hoy la primera causa de muerte entre los jóvenes de 15 a 19 años pertenecientes a minorías étnicas.
6. Más de dos millones de niños y adolescentes maltratados o abandonados cada año, y se supone que son muchos más los casos no denunciados.
7. Por supuesto, consumo de drogas: no tan extendido como hace cinco años, pero todavía demasiado abundante.

Al adolescente de hoy se le hace de noche, ésta es una de las conclusiones del estudio:

"Nunca antes una generación de adolescentes estadunidenses ha estado menos sana, peor atendida o menos preparada para la vida que lo que estuvieron sus padres a la misma edad".

Esta realidad de Estados Unidos nos da luz sobre lo que puede llegar a ser la nuestra.

"El hombre está herido –ha escrito Jesús Urteaga–, contrahecho, tiran de él el dinero, el sexo, el poder . . . No puede mirar al cielo. Tiene hambre, le falta luz y está roto por el pecado. Pero lo salvaremos. Contamos con Dios y la familia".

Ciertamente el mundo tiene lo suyo, siempre lo ha tenido; contamos, sin embargo, con grandes ayudas: Dios y la familia, para salir adelante. Y la libertad, ¿dónde la dejamos? ¿Dónde dejamos la energía y el coraje, la decisión de triunfar y de emprender, de mejorar? "La historia –dice

Martín Descalzo– está llena de genios surgidos en ambientes adversos. Beethoven fue lo que fue a pesar de tener un padre borracho; Francisco de Asís descubrió la pobreza en un ambiente donde se daba culto al becerro de oro del dinero; todos los intransigentes no arrancaron un átomo de alegría a Teresa de Jesús".

Presentamos a continuación un análisis de los fenómenos del medio que, a nuestro parecer, afectan negativamente al adolescente, y lo afectan porque fundamentalmente frenan y bloquean su intimidad. Recordemos que sin intimidad, el adolescente no madura.

Cinco enemigos al acecho o los adversarios de la intimidad

Quiero pedir una disculpa al lector antes de continuar por el enfoque un tanto negativo del tema, y decirle que es negativo sólo en apariencia, porque mi intención es desenmascarar a estos enemigos y presentar opciones para derrotar a estos cinco adversarios con los que el adolescente se topa en todo momento: en la escuela, a la vuelta de la esquina o en su misma casa:

- Soledad (desconocimiento)
- Desfamiliarización (calle, calle y más calle)
- Aburrimiento y ruido (todo en la superficie)
- Borreguismo (la imagen, el qué dirán)
- Evasiones mayores (droga, alcohol, sexo)

Hemos dicho que lo fundamental en el adolescente es el desarrollo de su intimidad. Pues estos cinco puntos son sus enemigos, porque le frenan el desarrollo de esa intimidad.

Cinco enemigos, cinco calamidades que atan al adolescente al suelo con cinco candados, que no lo dejan volar, ser libre, subir alto. "Vuela, vuela" . . . qué hermosa canción y qué éxito tuvo entre los jóvenes, quizá porque al cantarla podían expresar con palabras lo que de ordinario no es una realidad en su vida.

"Si los jóvenes aprendiesen a volar, si todos alimentasen sus alas, su coraje, su pasión, sus ganas de ser alguien y mejorar el mundo (tener intimidad, interioridad, vida interior), ya podía el paro encadenar a un alto porcentaje de ellos, ya podrían venir ríos de droga por todos los canales de los negociantes: ellos seguirían creyendo en sí mismos y en su lucha. Porque no es cierto que a los jóvenes les vaya mal porque han caído en la droga o en la soledad. Al contrario: han sido atrapados por la amargura y por la droga porque ya antes les iba mal, porque ya tenían el alma a medio encadenar. No se llena de veneno o de vinagre una vasija que no esté previamente vacía, y vacío está quien no tiene vida interior, intimidad. Hace falta un cazador buenísimo para cazar a los pájaros que vuelan más alto. Muchos se quejan de que les pisan y no se dan cuenta de que fueron ellos quienes eligieron ser cucarachas" *J. L. Martín Descalzo.*

Primer adversario: la soledad

El adolescente está solo fundamentalmente porque no se conoce.

Vamos a iniciar este punto con la narración de un caso típico: el joven que ante un examen importante no logra estudiar: se pone frente a los libros, es sábado por la tarde, y no puede concentrarse; decide entonces tomar un refresco y vuelve . . . Continúa sin poder concentrarse, y entonces recuerda que debe llamarle a una amiga . . . Esto repetido un día y otro, "lleva al adolescente –dice Aquilino Polaino-Lorente– a un estado de aburrimiento, de hastío de sí mismo y de autopercepción de inutilidad".

Pero esta situación en el adolescente es inaguantable: cómo va a estar pensando que es un inútil, que no puede preparar bien un examen; entonces tiene que escapar de estas ideas y deriva en el activismo, la búsqueda constante de lo divertido: música, velocidad, chicas . . . Sin embargo, en lo entretenido y en lo divertido el aburrimiento vuelve a surgir, y de las evasiones de primer grado (como son la música, la velocidad . . .) se puede pasar a las de segundo grado (alcohol, sexo . . .).

El problema es que este activismo entretenido, divertido, lleva al hombre a estar en lo que le rodea, pero sin llegar nunca a la raíz, a estar dentro de sí, a conocerse, a aceptarse.

"Si la intimidad significa poseerse, para poseerse es condición necesaria **conocerse.** Una persona que no se conoce a sí misma es como quien tiene un tesoro pero lo ignora; es como si no lo tuviera o peor, porque en estas condiciones no puede ni guardarlo ni usarlo bien y posiblemente lo pierda, lo derroche.

"El conocimiento de sí mismo consiste en detectar las aspiraciones más profundas de nuestro ser. Es encontrarse consigo mismo para descubrir los motivos radicales de nuestra conducta habitual. Para ello se requiere diálogo con uno mismo, en un clima de silencio y soledad" *Gerardo Castillo.*

Efectivamente, el adolescente, y por ello es adolescente, está –gracias a su intimidad– en condiciones de conocerse y este conocimiento es tan importante que sin él jamás podrá poseerse, y el hombre que no se posee, necesariamente está solo, porque la principal compañía del hombre es el hombre mismo; sólo así podrá trascender.

Soluciones

"Si el adolescente, en lugar de escapar de sí mismo, se zambulle en su interioridad más íntima, de seguro que se encontrará con Dios" (A. Polaino-Lorente).

El esquema de la tesis es el siguiente:

¿Qué puede hacer un adolescente para no estar solo?

↓

En primer lugar acompañarse a sí mismo

↓

Para esto requiere poseerse (ser dueño de sí)

↓

Para poseerse, necesita conocerse y aceptarse

En más de una ocasión he tenido que enjugar lágrimas de adolescentes que, siempre con amigos, con música, en fiestas . . ., están bien solos, no se conocen y no se poseen, se angustian, se sientes solos.

Conclusión: que tus hijos se conozcan, que reconozcan sus errores, y procuren corregirlos, que sepan cómo son y se acepten como son.

Repetimos: "un conocimiento profundo de sí mismo permite al hombre encontrarse a sí mismo, conocer lo mejor de su yo, tocar fondo en su vida, hacer pie en su existencia. En una palabra, poner las bases para desde allí acrecerse en toda su estatura" *A. Polaino-Lorente.*

Son muchos los aspectos en los que los jóvenes necesitan conocerse mejor. Destacaré cuatro que considero fundamentales:

- Aptitudes y habilidades
- Intereses, preferencias, motivos radicales
- Tipo de carácter o personalidad
- Criterios y conducta moral

Junto a este conocimiento conviene crear en el adolescente la conciencia de que debe aceptarse tal y como es: listo o no, bonito o no, rico o no . . . Que entienda que vale no por lo que tiene (inteligencia, belleza, dinero . . .), sino por lo que es. Se evitan así muchos, pero muchos complejos, que llevan luego a la soledad.

"He de querer ser el que soy: querer ser yo realmente, y sólo yo. Debo ponerme en mi yo, tal como es, asumiendo la tarea que con eso me está propuesta en el mundo . . . Ese es el principio y el fin de toda sabiduría. La renuncia a la soberbia. La fidelidad a lo real . . . Hemos de ejercitar la crítica contra nosotros mismos, pero con lealtad hacia lo que Dios ha puesto en nosotros" *D. Isaacs.*

Segundo adversario: desfamiliarización

Quizá no lo pueda explicar como quisiera, pero me parece algo tan importante y cierto como que dos más dos son cuatro: si no hay familia, si no hay hogar, no hay intimidad, y el proceso de maduración del adolescente se deteriora con el peligro de estancarse en la frivolidad.

Hogar, hoguera, calor, cariño: esto es lo que no puede faltarle a un adolescente hoy, porque se le complicará su adolescencia.

Es uno de los pocos miedos que tengo con respecto al Tratado de Libre Comercio con Estados Unidos y Canadá: que sin fronteras definidas, importemos modelos familiares ajenos a los nuestros: un papá que sólo está en el trabajo y en sus cosas, una mamá poco metida en su hogar y unos hijos que se la viven en la calle.

Recordemos cómo fue nuestro hogar cuando pequeños. Martín Descalzo nos traza algunos rasgos del suyo:

"Mi casa nunca fue un paraíso de dinero, pero sí un amontonamiento de ternura. Recuerdo que el día que se murió mi madre y yo tuve el contrapeso serenante de poder decir la misa de funeral ante su querido cuerpo que comenzaba a enfriarse, pensé que debería hacer mi homilía como en tantos funerales de amigos. Mis hermanos me decían: 'Pero, ¿vas a atreverte?' Yo respondía: 'Lo más que puede ocurrirme es que me eche a llorar. Supongo que nadie se escandalizará'. No lloré, logré contenerme. Y tuve la vertiginosa alegría de poder decir con verdad que, en los treinta y cinco años que había vivido con aquella mujer que enterrábamos, nunca conocí un solo día nublado en mi casa. Habíamos sufrido juntos a veces, sí. Las habíamos pasado estrechas en los años siguientes a la guerra, sobre todo cuando un incendio carbonizó nuestra casa y nos quedamos prácticamente en la calle. Nunca vi reñir –fuera de alguna pequeña tontería– a mis padres. Jamás vi caras amargas en los que me rodearon de chaval. ¿Cómo no sacar de aquellos treinta y cinco años jugo suficiente para ser feliz ochenta, noventa, los que sean?

"Sí; lo único de lo que estoy orgulloso es de mi gente. Porque en nuestra casa jugábamos un permanente campeonato de cariño, en el que ganábamos todos al pasarnos la vida obsesionados por cómo haríamos felices a los demás.

"Dios mío, ¡cuántas veces he llegado a mi casa para encontrarme helados deshelados, que nadie había comido para reservármelos a mí, que era el pequeño! Y menuda tragedia cuando Crucita hizo aquella promesa de no comer helados en un mes. ¿Quién se atrevía a comerlos mientras ella miraba? 'Hija, guapa –decía mi madre–, en el futuro haz mortificaciones que no mortifiquen a los demás'".

Efectivamente, el hogar es el lugar por excelencia de la vida íntima.

"La familia es el ámbito más adecuado para que las personas puedan desarrollar su intimidad. Cabe hablar de una 'intimidad familiar': es todo lo que en el hogar favorece la vida íntima de cada uno de los miembros de la familia y de las relaciones entre ellos. El motivo principal por el que el hombre construye casas no es el de defenderse del frío y de peligros diversos. Lo hace, sobre todo, para disponer de un espacio para vivir con intimidad" *G. Castillo.*

Es más difícil que un adolescente pueda salir adelante si se encuentra en un hogar roto por el divorcio, las envidias, la indiferencia, el odio o simplemente el egoísmo.

Soluciones

Qué importante es que en casa nunca falte el calor de hogar que fomente el desarrollo de la intimidad de ese adolescente, y en cuántos casos falta.

Estas son algunas costumbres que deben adoptarse en casa si se quiere ayudar a madurar al hijo adolescente, aunque sea muchas veces él quien las rehuya. Si no se han vivido desde la infancia, será imposible imponerlas todas de golpe.

- Procurar hacer las comidas juntos, en casa, con la TV apagada, por supuesto.
- Procurar la sobremesa, donde, con orden y espontaneidad, se van contando las diversas aventuras de cada uno.
- Vivir en familia festejos íntimos: cumpleaños, navidad, año nuevo, etcétera.
- Saludarse durante el día y preocuparse por los asuntos de los demás, por sus amistades, su noviazgo . . .
- Alguien, mamá ordinariamente, debe saber dónde está cada uno.
- Saber a qué hora llegó el que salió por la noche.
- Poca televisión.

- Preocuparse por la salud de cada uno.
- Tener detalles con cada uno.
- Que haya alegría y optimismo, que se eviten pleitos y discusiones, que se perdone siempre.

Cuántas veces he escuchado a adolescentes con años y años en su adolescencia, de ésos que no maduran (será acaso falta de intimidad . . . de familia), decirme:

- "Mi mamá no me habla"
- "Papá nunca come en casa"
- "En casa, cada uno hace lo que quiere"
- "Para mí, nunca hay tiempo"

Conviene encender con infinidad de detalles diarios –una sonrisa, una comida bien preparada, la limpieza, un gesto de cariño . . .– el fuego del hogar, para que al calor de esa hoguera, el adolescente madure.

Por último, es importante que el adolescente esté a gusto en casa, para que realmente esté en ella, porque de otro modo terminará en la calle siempre.

Y para que esté a gusto hay que evitar lo que le cae mal: regaños, comparaciones, correcciones, consejos, sermones . . . Para todo eso hay tiempo, pero en su lugar y momento; cuando hay que convivir, hay que convivir y estar a gusto y tranquilo. Cómo le molesta, por ejemplo a una joven, que le digan que su playera está muy fea, cuando a ella ese color morado con rosa le parece genial. No es la comida del domingo el momento para reprochar las bajas calificaciones, ni el viaje de vacaciones el adecuado para comparar a los hijos entre sí.

Además de todo lo anterior, en el hogar el adolescente aprende modelos y patrones de conducta tan concretos como lo cotidiano, que a la larga le serán fundamentales para su actuación.

Tercer adversario: aburrimiento y ruido

Un grupo de jóvenes que todos los días van de un lado a otro en moto o carro, con música a todo volumen, sin una idea que vaya más allá de "pasarla bien" en compañía de amigos y amigas, a primera vista nos puede parecer que se divierten; sin embargo, si en una conversación sincera les preguntamos a esos muchachos sobre su vida, tendrán que respondernos quizá que es sensacional, muchas sensaciones, pero aburrida, repetitiva, rutinaria o quizá hueca y vacía.

Que me perdonen los adolescentes pero, los de hoy, al menos en buen número, no saben divertirse. A lo más confunden diversión con ruido.

La música, la velocidad o las amistades son parte de la diversión, pero no la diversión misma. Y esto a veces los adolescentes no lo comprenden. Cuando hay aburrimiento, el diagnóstico es infalible: falta vida interior, falta intimidad.

ruido + aburrimiento = falta de intimidad

Para Thibon, la "neurosis de aburrimiento" es el mayor síntoma de la carencia de vida interior.

Sostiene Thibon que "el ruido nos llama sin cesar a la superficie de nosotros mismos y, a causa de la repetición indefinida de ese movimiento centrífugo, nos priva de la sintonía con esos ritmos profundos que hacen de nuestra existencia algo parecido a un cántico".

Para que el adolescente no se aburra, y sucede igual con el adulto, es necesario el silencio interior y atender las voces secretas que no se pueden oír más que en el silencio: la voz de la conciencia, la voz de la sabiduría y, en el centro más íntimo, la voz de Dios.

Otra causa del aburrimiento de los jóvenes es el hastío. Se aburren porque consiguen fácilmente lo que les apetece en cada momento.

Soluciones

Quizá la solución al ruido y al aburrimiento no sea declarar la guerra a la música o a la TV, quizá la solución esté en otro lado; en fomentar, por ejemplo, algunas de las siguientes aficiones:

- Lectura
- Buen cine
- Tocar algún instrumento musical

- Fotografía, modelismo
- Clases de baile
- Escribir
- Excursionismo
- Oratoria, poesía, teatro
- Deporte
- Labor social, ayuda a los necesitados
- Ajedrez
- Buena música

Todas éstas son actividades que, si se hacen bien, llevan al adolescente a momentos de silencio, que a la postre le conducen a la intimidad y a encontrar la puerta para salir del aburrimiento.

Hay que saber también aprovechar esos momentos duros por los que siempre toda familia atraviesa, para que los adolescentes alcancen ese silencio que los saque de su aburrimiento:

- La muerte de un ser querido (qué importante es que vayan al velorio)
- Acompañar a un enfermo grave
- Enterarse de una situación económica difícil
- Enterarse de un problema serio de alguno de la familia

Todos estos "choques con la realidad" son positivos.

Por otro lado, esos momentos de sobremesa, típicos y entrañables en toda familia, crean también el clima favorable para el silencio que da paso a la intimidad. Me causa pena y confusión toparme con jóvenes que casi no saben expresarse: hasta para esto sirve la sobremesa.

En cierta ocasión fui como invitado especial a dictar la lección magisterial a una ceremonia de graduación de bachilleres.

Eran 32 jóvenes. Durante la ceremonia, por cierto bastante solemne, pude observar detenidamente a los que se graduaban: los había realmente metidos en la ceremonia, interesados por todo lo que ahí se decía; el silencio y la solemnidad del acto les habían ayudado a meterse, interiorizar con aquello.

Había otro grupo, quizá de unos cuantos muchachos, que en un principio estuvieron bien, pero que en cuanto comenzó el acto se sintieron mal, se desconectaron y comenzaron a jugar con el de al lado o a viajar a no se sabe qué lugar y con qué ritmo, porque mientras movían los pies perdían la mirada, y apuesto a que salían de la sala. Estos últimos, por cierto, continuamente miraban el reloj: querían el final, estaban aburridos.

Un último consejo para los jóvenes aburridos y ruidosos; es de S. S. Juan Pablo II, a los jóvenes:

"Procurad hacer un poco de silencio también vosotros en vuestra vida para poder pensar, reflexionar y orar con mayor fervor y hacer propósitos con más decisión. Hoy resulta difícil crearse 'zonas de desierto y silencio', porque estamos continuamente envueltos en el engranaje de las ocupaciones, en el fragor de los acontecimientos y en el reclamo de los medios de comunicación, de modo que la paz interior corre peligro y encuentran obstáculos los pensamientos elevados que deben cualificar la existencia del hombre. Es difícil, pero es importante saberlo hacer".

Cuarto adversario: borreguismo

Recuerdo la gracia que le causó a un amigo periodista (lo contaba muerto de la risa) haber visto en una revista que una "Miss Traje de Baño" explicaba que no sabía nadar. Y es que mi colega aprovechaba esta anécdota para comentar que el hecho es casi un símbolo de nuestra civilización, en donde reinan las apariencias.

Lo que pesa ahora son las apariencias, y para mil de cada mil personas cuenta más lo que puedan pensar las otras 999, que lo que realmente piensa ella de sí misma. Y en esta cultura han nacido y se desenvuelven nuestros adolescentes.

Cuando Maquiavelo aseguraba que "mejor es que parezca que un príncipe tiene buenas cualidades que el que las tenga en realidad", estaba poniendo las bases de lo que hoy llamamos la sociedad de la imagen: hay que mejorar la imagen, qué imagen proyectas. Lo importante en muchos productos de hoy no es el contenido, sino la envoltura.

Por contagio, esto le sucede también al adolescente, con el consiguiente freno al desarrollo de la propia intimidad.

"Nos encontramos, por un lado, con la existencia banal, en la que la conducta procede de la zona menos íntima del hombre. El parecer y el aparentar prevalecen sobre el ser. Hay aquí un falseamiento del propio ser, una falta de seguridad y de autenticidad. Para López-Ibor este tipo de existencia es la forma más impersonal que tenemos de vivir. La máscara ocupa el espacio de la persona. Tenemos las mismas opiniones de los demás, los mismos gustos, las mismas ideas. Hasta nos emborrachamos con el mismo vino y nos deleitamos con el mismo tabaco. Es una vida periférica, cortical, sin ninguna resonancia profunda."

Y es que todo vuelve a lo mismo: sin intimidad no hay posesión de sí mismo y, sin esto, sin saber quién soy ni quién quiero ser, sólo me resta imitar; además, si no puedo poseerme, menos podré proyectarme. Me resta sólo velar por mis apariencias.

Como consecuencia de esto, dice Gerardo Castillo, "la mayoría de los jóvenes de hoy no sólo no son capaces de influir en otros, sino que se dejan arrastrar fácilmente por las modas y las conductas del ambiente; son personas fácilmente manipulables".

Soluciones

Una vez más, hay que recuperar la vía de la intimidad para que el adolescente madure:

- Invitarle a ser original, es decir, que dé origen a algo, que no copie todo: moda, gustos, etcétera.
- Invitarle a rebelarse, ofreciendo solución a lo que no le gusta. Escribir o llamar al periódico para exponer su punto de vista, por ejemplo.
- Animarlo a elaborar sus propios proyectos: qué voy a estudiar, dónde, qué tipo de trabajo quiero, qué tipo de mujer u hombre busco . . .
- Tener ideales altos, ¡No puede ser un ideal alto en un adolescente el hecho único de terminar su carrera . . . Que vaya a más: para qué la quiere terminar.
- Desanimarlo a estar siempre en grupo y con el mismo grupo: ¿adónde vamos?, ¿qué hacemos?, ¿cómo vestimos? . . . ¡Abrirse!

- Que participe en política, que lea y opine, que sienta el compromiso social.
- Crear compromisos: que se inscriba en un curso de algo que les guste, que asista a actividades fijas, que tenga encargos en casa.
- Fomentar que tome sus propias decisiones y cuestionarlo luego sobre eso, sin aceptarle un "¿Sabe?", "¡Nomás!", "¡Porque sí!"

Quizá hoy más que nunca haya que insistir a los adolescentes que no tengan miedo de ser ellos mismos, que no se dejen llevar por el ambiente, por "el qué dirán". Porque si Bacon dice que "el malo cuando se finge bueno es pésimo", hoy –comenta un amigo– hemos de decir: el bueno cuando se finge malo es idiota y es, créanmelo, el caso de muchos jóvenes que se sienten presionados por el medio a ser o parecer lo que no quieren: ¿no han visto ustedes esas muchachas con faldita que cuando se sientan, se la pasan tapándose con el bolso?

Quinto adversario: las evasiones (sexo, droga, alcohol)

Cuando se intenta encontrar el porqué de la vida prescindiendo de Dios, la única respuesta es el absurdo. La vida aparece entonces como un pozo en el que el hombre ha sido arrojado y del que no puede salir. Es una vida sin esperanza, llena de tedio y abocada a la náusea. Y surge entonces en el hombre un deseo incontenible de escapar de esa insufrible cárcel interior. La fuga o evasión más radical es el suicidio, pero hay otras muchas:

- Sexo
- Activismo
- Modas: novedad, cambio, distracción
- Diversión como fin
- La droga
- El alcohol

Tocamos uno de los puntos más inquietantes: las evasiones en la adolescencia. Recuerdo ahora a aquel padre de familia que le insistía a su hijo pequeño que si había quedado en asistir a esa fiesta, debía hacerlo, aunque ya no tuviera ganas; y como el niño insistiera en que no, el padre, tajante, dijo: "Si no vas, no aprenderás nunca a cumplir tus compromisos, y el día de mañana, cuando tu mujer no te guste, la querrás cambiar y le pedirás el divorcio".

Las cosas son como son y así hay que afrontarlas. No vale decir: "Mejor no", ni mucho menos no decir nada, simplemente irse, evadirse, esconderse. Este es el tema: sexo, droga, alcohol, las grandes evasiones del adolescente.

Se venden evasiones

Estas evasiones mayores, jugoso negocio de hombres miserables, mercaderes de miserias, se encuentran a la vuelta de la esquina. Los maestros del *carpe diem* les llama Juan Pablo II, que "invitan a los jóvenes a seguir toda inclinación o apetencia instintiva, con el resultado de hacer caer al individuo en una angustia llena de inquietud, acompañada de peligrosas evasiones hacia los paraísos artificiales, como el de la droga".

Tristes experiencias

El resultado es siempre el mismo: los paraísos del sexo, del alcohol y de la droga no existen más que en las películas y como episodios sueltos, pero la vida del hombre ni es una película ni es un episodio; es una realidad concretada a unos valores y a un tiempo, pasado y futuro, nunca indiferente al presente.

Son muchos los adolescentes, ellos y ellas, que hastiados de esas experiencias buscan el retorno sin saber que estas evasiones dejan huella, crean vicio y tienen garras, garras poderosas que difícilmente sueltan a su presa.

El sexo

Aspectos físicos del desarrollo sexual

"La pubertad generalmente comienza en la adolescencia temprana, y el desarrollo completo insume de uno y medio a dos años. El crecimiento y la maduración física de la pubertad se desencadena por la acción de un 'reloj de tiempo' predeterminado, que se encuentra en una región especializada del cerebro llamada hipotálamo. Poco a poco, las hormonas secretadas por el hipotálamo activan la glándula pituitaria, que está exactamente debajo del cerebro, de modo que ella produce cantidades crecientes de dos hormonas que estimulan los testículos o los ovarios. Como resultado de la estimulación, estos órganos crecen y aumentan en proporción importante la producción de sus propias hormonas –sobre todo la testosterona y el estrógeno, respectivamente– que controlan de manera directa muchos de los cambios biológicos propios de esta etapa del desarrollo.

"En ambos sexos, la pubertad origina una aceleración del crecimiento de los huesos largos del cuerpo, que es la causa del 'estirón del adolescente', un fenómeno que puede aumentar la cuenta de compra de ropa y transformar a un adolescente normalmente proporcionado de un metro sesenta, en un jovencito desmañado de un metro ochenta o más.

"El rápido crecimiento del adolescente suele darse en las niñas (la edad promedio es alrededor de los trece años) antes que en los varones (el promedio es aproximadamente catorce años y medio), lo cual origina muchas escenas embarazosas en los bailes de los cursos finales, donde las muchachas, sobre todo si usan tacones altos, aparentemente miran desde lo alto a sus compañeros. Ambos sexos sufren igualmente la aparición del acné como un efecto colateral indeseable de las sustancias hormonales que se vuelcan activamente en los respectivos sistemas.

"En las niñas, el cambio más visible de la pubertad es el desarrollo de los senos, que comienza generalmente a los doce años y se completa alrededor de los dieciséis años. Es típico que la menstruación no se inicie hasta seis a doce meses después de la aparición de un crecimiento visible del busto. Durante las primeras etapas de la pubertad, las jóvenes comienzan a acumular una proporción mayor de peso corporal en la forma de grasa bajo la piel, y algunos investigadores creen que cierto nivel de tejido adiposo debe manifestarse antes de que comience la menstruación. De ahí que las adolescentes que se mantienen muy delgadas a causa de los ejercicios vigorosos (sobre todo las actividades como las carreras de larga distancia o las horas diarias de entrenamiento en el gimnasio o el ballet), o que se someten a una dieta fanática para conservar la delgadez, a veces no inician la menstruación (una situación denominada amenorrea primaria), o pierden totalmente los periodos (amenorrea secundaria). Otros cambios físicos de las jóvenes durante la pubertad incluyen el crecimiento del útero y la ampliación de la vagina, el desarrollo del vello pubiano y axilar y el comienzo de la ovulación, que marca el principio de la capacidad reproductora.

"En los varones la pubertad aparece acompañada por el crecimiento de los testículos y el pene, el desarrollo del vello pubiano y axilar, el crecimiento del vello facial (y más tarde, el crecimiento del vello en el pecho, si la estructura genética así lo determina), la voz más grave y el más acentuado desarrollo muscular. La producción de esperma comienza en la pubertad, y los varones por primera vez tienen 'sueños húmedos' (eyaculación nocturna) durante este periodo. Como parte de la hormona sexual masculina, la testosterona, que provoca estos cambios, se convierte en estrógeno a causa de la actividad del propio cuerpo, muchos varones también sufren un agrandamiento temporario de los pechos que puede durar un año o dos, y que los avergüenza considerablemente. Aunque esta condición, denominada técnicamente ginecomastia, afecta al 60 por ciento de los adolescentes en diferentes periodos, y en definitiva se resolverá sin ningún género de tratamiento, en ocasiones provoca tan profunda angustia psicológica que es necesario apelar a la corrección quirúrgica.

"Es indudable que los cambios hormonales de la pubertad representan un papel en la activación de los sentimientos sexuales durante la adolescencia. Los varones comienzan a tener erecciones mucho más frecuentes que antes; las niñas tienen sensaciones de calidez vaginal y hormigueo, y también experimentan la lubricación (humedad) vaginal, que es un signo físico de excitación sexual. Pero como observó el conocido investigador de sexo, John Money, 'la concepción acertada de la pubertad hormonal es que aporta gasolina al tanque metafórico y realza el modelo del vehículo, pero no construye el motor ni programa el itinerario del viaje'.

"El momento del comienzo y la finalización de la pubertad varía mucho. Algunos varones y muchachas han completado este proceso a los once o doce años, y en cambio otros no comienzan la pubertad hasta los catorce o quince años. Aunque al varón no le parece divertido ser el 'pequeño' de la clase o a la niña estar menos dotada que sus amigas, esta diversidad es un rasgo normal del proceso biológico, y en la mayoría de los casos no es un presagio de la apariencia física ulterior. El proverbial debilucho de cuarenta y cinco kilogramos puede convertirse en musculoso jugador; la jovencita que se siente una rareza informe quizá merezca que se la considere, más adelante, la joven más 'sexy'. Como regla práctica general, a menos que los signos del desarrollo de la pubertad no sean evidentes hacia los dieciséis años, la atención médica es innecesaria. Las cosas generalmente se arreglan solas" *Dr. C. Robert y Nancy J. Kolodny/ Dr. Thomas Bratter y Cheryl Deep.*

La corrupción de lo óptimo es pésima

Recuerdo haber leído un comentario del Prelado del Opus Dei, de Alvaro del Portillo, con respecto a la sexualidad, con la siguiente idea: que siendo la sexualidad humana una de las realidades más nobles del hombre –la capacidad de transmitir la vida– puede, si se corrompe, convertirse en algo pésimo y desastroso para el hombre. Por otro lado, sé de buena fuente que las salas de espera de los psiquiatras suelen ocuparlas personas que han recorrido el camino de las desviaciones o perversiones sexuales.

Educación sexual

Ciertamente al adolescente hay que prepararlo, en su preadolescencia y en su niñez, a entender la sexualidad humana como lo que es: un maravillosos don divino.

Recuerdo una conversación que hace tiempo tuve con un joven sobre el tema; cuando le pregunté si sus padres le habían explicado bien la sexualidad humana, me dijo escuetamente.

–Bien sí, pero lo hicieron tarde.

Esta experiencia desgraciadamente se repite con frecuencia. Hay que adelantarse y hablar con claridad.

Cuatro adolescentes respondieron así a la siguiente pregunta: "¿Has hablado con tus padres sobre el tema de la sexualidad?"

- "No. Nunca he hablado de eso."
- "No hemos hablado, creo que me incomodaría y me apenaría si lo hiciéramos."
- "Más o menos. Hablamos desde un punto de vista moral, más que fisiológico; que, bueno, la sexualidad es algo muy bonito, que Dios nos hace compañeros de él para crear una nueva vida, etcétera. Ellos tomaron la iniciativa, pero creo que me lo dijeron un poco tarde; me lo debían haber explicado como a los 13 años, y me lo explicaron como a los 14."
- "Casi no hemos hablado de ese tema, pero ellos me propusieron que cuando necesite saber algo acerca de eso, acuda a ellos."

Conviene prepararlos pronto porque a muy temprana edad van a ser bombardeados por todos lados con invitaciones fuertes y sugestivas a desarrollar una actividad sexual desordenada.

Estos temas tan íntimos de la sexualidad deben tratarse también con intimidad; por eso es aconsejable que lo traten los padres, papá con los hombres y mamá con las mujeres, aunque mi experiencia es que como a los papás les da miedo hablar de esto, es mamá la que termina haciéndolo. No hay que tener miedo y hay que ser muy claro, pues, bien tratado, este tema ayuda incluso a la intimidad del adolescente, que se sabrá así protagonista potencial del misterio de la vida.

Conversa del tema con tu hija, pero hazlo pronto, a los 10 u 11 años.

Cómo proporcionar esa educación sexual

Hoy en día se ha generalizado la denominación de "educación sexual". Esta denominación puede inducir a algunas personas a olvidar que lo sexual está ligado a la educación de la afectividad, que es donde cobra una dimensión verdaderamente humana.

Se nos quiere ofrecer, a nosotros y a nuestros hijos, dice Vidal Sánchez, una imagen de la sexualidad como algo puramente biológico, "natural", que se debe dejar manifestar con total espontaneidad. Y es cierto que la sexualidad es algo natural a la persona, porque la persona humana es sexuada. Pero lo que no podemos admitir es reducir el amor a sexo, a relaciones puramente genitales en función de esas apetencias "naturales".

Por eso es más adecuado hablar de información sexual y de educación de la voluntad como elementos de una adecuada maduración afectiva de la persona, que incluye la maduración de los sentimientos y el encauzamiento de las pasiones. En definitiva: si queremos que la información sexual sea realmente educativa, informar no se puede reducir a proporcionar una explicación científica de los cambios psicofísicos que se producen en la pubertad, sino que deberemos darle a todo el proceso la dimensión espiritual y trascendente que posee. Es decir, deberemos explicarles cómo la inteligencia y la voluntad, junto con el corazón, deben regular y dirigir esta capacidad del ser humano hacia el fin previsto por Dios.

¿Cómo darle a un adolescente la información sexual de una forma adecuada?

Hay cuatro requisitos básicos que no debemos olvidar en ningún momento:

- La información debe ser veraz
- Debe ser oportuna en el tiempo y en la situación
- Debe darse con naturalidad
- Debe ser siempre personal

Hay que adelantarse a los cambios y a los trastornos que la pubertad trae consigo, para que el muchacho vaya asentando un criterio recto y correcto respecto al sentido de la sexualidad en el ser humano. Y lo que es más importante, ese criterio debe ser interiorizado y asumido por él. Porque todo lo añadido, postizo o impuesto, se queda en eso . . . en meros tabúes y prohibiciones ante los que la voluntad del individuo no ve razones convincentes para emplearse "a fondo".

Por lo tanto, no se trata de convencer con argumentos aplastantes en conversaciones que tienen más de monólogo que de diálogo. A partir de los doce o trece años (las niñas antes), hay que sugerir, suscitar temas, lograr que sea él el que piense y decida, que asuma sus criterios. La información que le vayamos proporcionando se puede complementar con algún libro o folleto que se adapte a su edad y madurez. No se trata de dárselo todo hecho, porque, recordemos, educar es prestar las ayudas necesarias en los momentos oportunos. No cometamos el error de dárselo todo "digerido", pues no educa mejor el que suple, sino el que enseña a formar criterio.

¿Y el momento oportuno? Uno bueno para nosotros puede no serlo para el niño. Se cambia de tema y . . . se espera. Un anuncio publicitario en televisión, una película, un comentario sobre una persona conocida, etc., puede dar pie a sacar temas candentes con naturalidad.

Ellas

Presentamos para orientación algunas ideas que pueden ayudar a la educación sexual. A esa edad, las chicas se muestran más sensibles y receptivas a todo, y muy interesadas; hay que tomar en cuenta que están despertando a la vida. Por eso hay que procurar hablar con ellas antes de que lo hagan las amigas, o se pongan a curiosear en revistas y libros.

Puede ser común sorprender a un grupito de chicas, mirando un libro sobre anatomía. Lo lógico es que se queden atónitas al ser descubiertas, pero es quizá el momento de iniciar el diálogo, pidiéndoles permiso, para que cuenten un poco las curiosidades. Ellas, dudas de anatomía no tienen, está muy bien explicado y dibujado en los libros. Lo que no comprenden tanto es el proceso de la ovulación, el porqué de la menstruación y qué sentido tiene todo eso.

Sienten que se van haciendo mujeres, eso les gusta, porque ven que los hombres se fijan más en ellas, que les dicen cosas bonitas y quieren empezar a pensar en cosas de mujeres: casa, hijos, marido, etcétera.

En la escuela se puede dar a las chicas todo tipo de información; sin embargo, estos temas son muy importantes por estar relacionados con la afectividad de cada persona, por lo que es mejor que se traten dentro de la familia; nadie mejor que mamá para hablarles de estas cosas.

Una cosa es hablar con ellas sobre cómo nacen los niños, y otra muy distinta es explicarles lo que les va a ocurrir. De lo contrario, con una información superficial que se encuentren en cualquier sitio, no quedaría completa la formación de su persona.

Ellas pueden comentar que una compañera suya ya es mujer, que ha tenido su primera menstruación, y preguntar si a ella le falta mucho tiempo.

Hay que decirles que es una cosa normal, que el cuerpo de las mujeres, desde niñas, se va preparando para ser un organismo de mujer y, así, cuando se llega aproximadamente a su edad, surge el cambio, para poder ser madre.

Las madres coinciden en explicar con claridad que tienen unos órganos llamados ovarios, que se sitúan a derecha e izquierda del vientre, donde se encuentran los óvulos, que son muchos, y bastante más pequeños que los ovarios, pequeñitos, que si se unen con una célula masculina, comenzará la vida de un nuevo ser humano.

La menstruación es debida, así lo explicaba una madre a su hija, a que cada mes madura uno de estos óvulos, y se van desplazando poco a poco a través de las Trompas de Falopio, y llega al útero donde se queda unos días; si no es fecundado, se desprende y sale al exterior en forma de hemorragia, por la vagina, y esto sucede cada veintiocho días, aunque puede variar.

Otra madre insiste en que expliquen a sus hijas que en esos días se debe tener mayor cuidado en la higiene íntima. ¿Y esto duele? pueden preguntar las adolescentes porque es una hemorragia, ¿o no?

Se puede responder: por supuesto que no es lo mismo. En ocasiones hay un poco de malestar general, pero pasa. Sobre todo hay un cambio, estas más nerviosa, irritable o sentimental y melancólica, porque en el cuerpo se están produciendo importantes transformaciones. Hay que explicarles claramente otros cambios que se ven: crecimiento de los senos, aparición del vello, las formas se van redondeando, cambio de cuerpo de niña a mujer.

No todas las madres hablan de los cambios que no se ven y hay que hacerlo, y enseñarles a conocer y dominar sus sensaciones e impulsos sexuales, que son normales. Si ellas preguntan, y si no lo hacen hay que decirles. ¿A los hombres les pasa lo mismo? Las madres deben decir que sí, aunque de modo diferente, son dos sexos que se complementan. Las mujeres tienen los hijos, pero sin los hombres no sería posible.

El hombre, a través del pene, deposita el espermatozoide en la vagina de la mujer, que al juntarse con el óvulo, forman un nuevo ser. Y en ese ser Dios infunde el alma.

Ellos

Con los varones quizá es distinto. En el libro *Tu hijo de 13 a 14 años* aparece un caso práctico e interesante:

> "Mi mujer llevaba persiguiéndome desde hacía tiempo para que hablase con Juan. Ella tenía miedo de que le estuviese llegando información extrafamiliar y dudosa sobre temas sexuales. Y, la verdad, a mí el tema me asustaba un poco; ¿hasta dónde debía llegar, cómo hacerlo, qué sabía él ya . . .? Estuve varios días preparando lo que pensaba decirle, incluso llegué a preparar un esquema, no para sacarlo en la conversación, sino para no olvidar ningún punto que fuese, según mis criterios, fundamental.
>
> Mi mujer, viendo que yo no acababa de encontrar el momento adecuado, lo 'creó': nos mandó a la calle a los dos para hacer unos recados juntos.
>
> Muy serio, paseando por la calle, empecé a explicarle a Juan todo lo que yo pensaba que debía ya saber. Después de unos treinta minutos

dí por terminado el tema, con la sencilla pregunta que, pensaba yo, suscitaría una animada conversación:

—Bueno, ¿quieres preguntarme algo? Mi sorpresa fue grande ante su respuesta:

—No, bueno, sí —dijo—: ¿vamos a ir el domingo al futbol?

Tardé cierto tiempo en poder contestar. Evidentemente mi hijo no le daba al tema la misma importancia, al menos en ese momento, que yo creía tendría para él. Los siguientes quince minutos tuvimos una animada discusión sobre las características fundamentales que deben adornar a un buen extremo izquierdo. Eso sí que le interesaba en ese momento, porque esa misma mañana le había comunicado su entrenador que jugaría de extremo en la selección del colegio.

Una semana después volvimos a hablar. Esta vez fue él quien me dijo que tenía que preguntarme una cosa. Me olvidé de esquemas, de conferencias, y hablamos del tema" *Vidal Sánchez Vargas/ Miguel Angel Esparza.*

Ideas claras sobre el sexo

Además de esta labor que siempre conviene hacer, es importante tener las ideas claras y con claridad y gracia aclararlas a los hijos.

Hay una realidad que entienden bien, pero que nadie les explica: la sexualidad es distinta del amor, pero sin éste pierde su auténtica dimensión.

Recuerdo haber escuchado hace años a un psiquiatra que decía: lo que más ha dañado al mundo moderno es haber separado, la sexualidad de la procreación, haber fomentado el placer sin procreación y la procreación sin placer. Esto es, en esencia, el divorcio de sexo y amor.

Reduccionismo de la sexualidad

Efectivamente, a partir de Freud, que confunde instinto con deseo; siguiendo con Marcuse, que intentando sintetizar a Marx y a Freud propone una dialéctica entre principio de la razón y principio del placer, y terminando con Reich, el teórico de la revolución sexual que propone separar sexualidad de procreación, estamos en una tormenta donde pueden naufragar sus hijos adolescentes.

Copio algunas ideas de Marcuse:

"El ser humano es un ser que lucha exclusivamente para la consecución del placer sexual" *(Eros y civilización, p. 101).* "Pero no sólo debe luchar por liberar su instinto, sino también para resexualizar su cuerpo. Y no sólo su cuerpo, sino también para erotizar cuanto pueda el ambiente, con lo que aumentará su capacidad erótica y, por tanto, aumentará su felicidad. Por supuesto que el paraíso de la Nueva Era será 'el reino de la libertad comunista'" *Eros . . ., p. 160.*

Hay que "re-sexualizar" el propio cuerpo y "erotizar" al máximo el ambiente.

"Cualquiera que tenga tres dedos de frente puede darse cuenta de que Marcuse, proponiéndoselo o no, estaba describiendo al obseso sexual: sexo, sexo, sexo. Todo se resume al sexo" *Ramón Montalat.*

"Hay personas que inmediatamente captan el aspecto económico de cualquier fenómeno. Así ocurrió con el que desataron los marxistas con la revolución sexual. Enseguida surgieron empresas promovidas por individuos sin escrúpulos dispuestos a traficar con el sexo. Estos individuos proliferan en todas las latitudes. Lo único que les mueve es el afán de lucro. Constituyen la versión actualizada del avaro de siempre.

Ahora, que ha surgido el negocio a gran escala de la droga, trafican con el sexo y con la droga a la vez. Y si se despenalizara la esclavitud, no tendrían inconveniente en traficar con seres humanos.

Y así fue como en todo Occidente se multiplicaron las empresas cuyo objetivo era la explotación del sexo:

- Laboratorios farmacéuticos para la fabricación de anticonceptivos para un público estimado en cientos de millones de consumidoras;
- Grupos editoriales suministradores de novelas, revistas y toda clase de material pornográfico;
- Empresas cinematográficas dedicadas a producir películas, telefilmes y videos del mismo estilo.

Durante muchos años, los enemigos más acérrimos –el materialismo marxista y el materialismo capitalista– han coincidido en un mismo objetivo: la difusión de la pornografía.

Es más, a partir de un determinado momento los comunistas pudieron despreocuparse de su cruzada. Los capitalistas se habían convertido en los propagandistas y máximos difusores de las tesis marcusianas.

Ya no hacían falta las comunas ni las orgías sexuales ni las misiones especiales encargadas directamente por el Partido a una muchacha para seducir y pervertir a alguien.

Las empresas creadas por el capitalismo asumieron en exclusiva la tarea de erotizar el ambiente. Por eso, aunque el marxismo se haya derrumbado, el permisivismo sexual sigue. Y sigue no impulsado por motivos ideológicos, como ocurrió en los comienzos, sino por motivos exclusivamente económicos" *Ramón Montalat.*

Especial para las niñas y sus mamás

Es un sentir común que en esta última década del siglo, son las mujeres, las jovencitas, las que más necesitan ubicarse, centrarse en el tema sexual; da mucha pena ver cómo van desorientadas y qué urgente es que en casa se les hable claro.

Las madres tienen el deber de educar a sus hijas en el pudor, deben enseñarlas a cuidar su intimidad que es también condición indispensable como ya hemos dicho para la riqueza interior. El pudor es un sentimiento natural, pero requiere también educación. No se duda de que robar es transgredir una ley, aún así se enseña a los niños a no apoderarse de lo ajeno y se les corrige cuando lo hacen.

Ni la madre ni el padre pueden consentir que sus hijas desconozcan el alcance de su vestido, posturas y gestos. No deben permitir que vistan minifalda, ni bikini, ni pantalones hiper ajustados o pequeñísimos shorts.

Una razón es la elegancia. No cabe elegancia donde se halla ausente el pudor. El pudor es la soberanía del espíritu, la exaltación de la personalidad humana. La finura del verdadero pudor –ha escrito Giambattista Torelló– mana de altos pensamientos y fuertes pasiones, no de mentes cerradas, embotadas por prejuicios contra todo lo que sea carnal.

Una de estas fuertes pasiones es la del señorío sobre uno mismo, en virtud del cual todo lo que uno es, es poseído verdaderamente por uno. Cosa que no sucede al cuerpo –que es tan personal para el hombre–, cuando se abandona a la posesión –intencional al menos– de cualquiera. Así el cuerpo –y también la persona a la que pertenece– se convierte en cosa de nadie por lo mismo que es cosa de todos. Y entonces, puede decirse con todo el rigor popular de la expresión, que esa persona, de tal guisa abandonada, es una cualquiera. Esta es la realidad.

Dice Ramón Montalat que:

> "Si la mujer pierde el pudor, rompe su propio e integral misterio: aquello precisamente que le permitía ser más que una simple cosa, es decir, persona, algo esencialmente misterioso e inagotable y de alguna manera eterno e infinito. De este modo cierra las puertas al amor, que sólo es capaz de brotar en un acto, en un momento, en un clima de pudor. No es posible hablar de amor que no haya tenido este origen maravilloso". El pudor mantiene también el misterio que es esencial a la mujer. No hay que olvidar que lo que no es misterioso no es capaz de ofrecer un interés duradero. Las cosas captan la atención cuando presentan al hombre algún enigma. Cuando éste se desvanece, se pasa a otra cosa y aquello se olvida. Una mujer sin pudor es una cosa agotable, sin misterio. Pronto cesará su periférico encanto y el vacío –súbita o progresivamente– la llenará por completo; la angustia –que no es cosa de broma– morderá su alma, quién sabe si irremediablemente.

Fijemos, por fin, nuestra mirada en la Mujer más encantadora de la Creación: Santa María, Madre de Dios y Madre nuestra. Pidámosle ayuda para que sepamos comportarnos siempre, cualesquiera que sean las circunstancias, de acuerdo con la dignidad de personas. Que este mundo descubra la importancia de esa virtud que ha sido tema de nuestras reflexiones; que recupere el respeto al misterio sagrado de lo personal.

> *Ne timeas, Maria!* –¡No temas, María! . . .
> –Se turbó la señora ante el Arcángel
> –¡Para que yo quiera echar por la borda
> esos detalles de modestia, que son salvaguarda
> de mi pureza!

(J. Escrivá de Balaguer, *Camino,* n. 511).

Breves y tristes estadísticas

Terminamos con unas breves estadísticas:

Datos sobre algunos aspectos de la conducta sexual de los adolescentes en México:

	Hombres	*Mujeres*
Media de edad de la primera relación sexual	15.8 años	17.1 años

Casi todas las mujeres que tuvieron su primera relación sexual antes de casarse, lo hicieron con su novio o prometido.

Sólo el cinco por ciento de los varones informaron que su primera relación sexual fue con una prostituta.

El 35 por ciento de las concepciones del primer hijo son antes de la boda.

En ningún momento mi intención al publicar estos tristes resultados es sugerir que se trata de una irremediable realidad que tiende a hacerse norma; quiero que esto despierte a los papás para que entiendan el peligro grave en el que se encuentran sus hijos.

Algo sobre alcohol

No tengo cifras exactas, pero sé que el consumo de alcohol en el adolescente va en aumento; esto es algo que salta a la vista.

No estoy de acuerdo con aquellos padres que prohíben a ultranza que sus hijos beban una gota de alcohol, porque tarde o temprano lo terminan haciendo, pero es a escondidas; además, el alcohol no se debe prohibir, porque de suyo no es malo.

Hay que enseñar a beber

Hay que enseñar a beber, y en determinadas fiestas no veo el problema de que se brinde en familia por algún motivo; así también se prepara a los hijos a beber, moderadamente, en sus reuniones sociales.

No podemos disponer de una tabla de edades y cantidades de copas; lo cierto es que todos –adultos y jóvenes– deben beber con moderación.

La vigilancia y el ejemplo paterno

Es relativamente fácil ayudar a un adolescente al que se le pasarán las copas; una vez que vuelva a la normalidad hay que explicarle las desventajas de beber en exceso y pedirle que no se deje llevar; decirle que puede tomar algo, pero que lo haga con medida.

En el caso de las mujeres esto es todavía más importante, ya que si no se controlan al beber, pueden caer muy bajo. Obviamente esto supone vigilancia por parte de los padres, por ejemplo:

- Fijar las horas de llegada de las fiestas.
- Esperarlos y ver cómo llegan de esas fiestas: una adolescente que sabe que su padre la espera con cariño, procurará llegar puntual y sobria.
- Procurar que vayan a una sola fiesta por semana, no dos o tres.
- Evitar las salidas a dormir fuera de casa.
- Que no haya muchas botellas en casa y, si hay, ponerlas bajo llave.
- Que vean que en casa se bebe con moderación.

La droga

El adolescente y las drogas

Muchos estudiantes emplean las drogas experimentalmente cuando entran a la adolescencia. Algunos se hacen adictos, pues viven en una sociedad que pone a su alcance diversas variedades, además de ser una eficaz evasión de la realidad.

Varios factores influyen en el uso de estupefacientes:

- Composición demográfica de la población juvenil
- Estilo de vida
- Escala de valores
- Nivel de educación

Delincuencia y drogas

Entendemos por delincuencia una serie de actos antisociales que no necesariamente implican conductas en las que intervengan el sistema legal y la policía.

Las conductas antisociales:

- Pueden ser comunes en la adolescencia
- Indican una crisis
- Constituyen un particular estilo de adaptación, el cual es sintomático de la exteriorización de un conflicto
- No se presentan en todos los adolescentes
- No todos ellos presentan esta tendencia con la misma intensidad

La tendencia a la actuación delincuente puede ser una base normal del desarrollo. Tanto los muchachos no usuarios de droga como los consumidores presentan tendencia a realizar actos delictivos.

Los estudios muestran la influencia de la droga para cometer cierto tipo de actos delictivos.

EVENTOS DELICTIVOS Y CONSUMO DE DROGAS
(Tomando como muestra a 773 estudiantes)

Grado de consumo	*Tomar un auto*	*Golpear o dañar algo*	*Vender mariguana*	*Tomar $10 000.00 o menos*	*Golpear o herir a alguien*	*Forzar una cerradura*	*Vender drogas*	*Tomar parte en riñas*	*Total*
No usuarios	1.8%	2.4%	–	–	1.2%	–	–	1.2%	164
Leves	0.19	10.1	–	1.7	7.9	1.2	0.2	14.3	405
Moderados	5.4	10.8	0.6	5.7	6.8	1.3	0.6	17.6	147
Altos	11.2	8.6	8.0	3.2	9.6	1.6	–	30.6	62
TOTAL	18.59	31.9	8.6	10.3	25.5	4.1	0.8	63.7	778

TENDENCIAS REGIONALES DEL CONSUMO DE DROGAS ENTRE ESTUDIANTES EN EL PERIODO 1976-1986

DROGAS	*REGION*[1]			*REGION*[2]			*REGION*[3]		
	1976 %	*1986* %	*Cambios* %	*1976* %	*1986* %	*Cambios* %	*1976* %	*1986* %	*Cambios* %
Mariguana	1.9	3.7	+1.8	.96	3.1	+2.2	0.89	1.6	+0.71
Inhalantes	0.8	4.2	+3.4	1.0	4.5	3.5	0.79	4.1	+3.31
Anfetaminas	2.8	3.5	+ .7	2.0	3.4	+1.4	1.7	2.6	+ .9
Tranquilizantes	1.9	2.6	+ .7	.29	2.4	– .5	3.1	3.6	+ .5
Sedantes	1.2	.7	– .5	1.4	1.0	– .4	.6	.5	– .1
Alucinógenos	.7	.42	– .3	.83	.7	.13	.5	.1	– .4
Cocaína	.6	1.3	– .7	.5	.9	+ .4	.5	.6	+ .1
Heroína	.2	.54	+ .34	.4	.5	+ .1	.009	0	0

[1] Baja California Norte y Sur, Sinaloa, Sonora, Coahuila, Chihuahua, Tamaulipas y Nuevo León.

[2] Durango, S. L. P. Nayarit, Aguascalientes, Jalisco, Michoacán, Guanajuato, Hidalgo, Estado de México, Distrito Federal, Puebla, Veracruz y Guerrero.

[3] Campeche, Tabasco, Yucatán, Chiapas y Oaxaca.

Fuente: Instituto Mexicano de Psiquiatría.

DATOS OBTENIDOS EN LA MUESTRA NACIONAL

Según el sexo

VARONES	ALUCINOGENOS-MARIGUANA
MUJERES	TRANQUILIZANTES-SEDANTES

Bajo el perfil educativo

Padres	*Hijos*
NO ASISTIERON A LA ESCUELA O NO SABEN LEER Y ESCRIBIR	FARMACODEPENDIENTES
ESTUDIOS UNIVERSITARIOS	CONSUMIDORES DE TABACO, ALCOHOL Y SEDANTES

Relación actos delictivos-droga:

Droga	*Escala de delincuencia*
MARIGUANA, ANFETAMINAS, COCAINA, INHALANTES	ALTA
HEROINA, TRANQUILIZANTES, SEDANTES	BAJA

Según edad

Años	*Droga*
14-15	INHALANTES
16-17	SEDANTES
18 EN ADELANTE	MARIGUANA-ALUCINOGENOS

Tabla informativa sobre drogas y sus efectos

Presentamos a continuación una tabla interesante sobre las drogas y sus efectos:

LAS DROGAS Y SUS EFECTOS

Droga	*Clasificación farmacológica*	*Sustancia activa*	*Uso*	*Cómo es el producto*	*Efectos buscados*	*Efectos buscados a largo plazo*	*Dependencia física*	*Dependencia psicológica*
Mariguana	Alucinógeno	Tetrahidro-canabinoles	Se fuma o se ingiere	Partes de la planta	Euforia, relajación, percepción más intensa	Posible bronquitis o conjuntivitis, daño a los cromosomas	No	Sí
Hachis	Alucinógeno	Tetrahidro-canabinoles	Se fuma o se ingiere	Sólido de color, café o negro, resina	Relajación, euforia percepción más intensa	Conjuntivitis, posible psicosis	No	Sí
Heroína	Depresora del sistema nervioso central	Diacetil-morfina	Se inyecta o se aspira por la nariz	Polvo blanco, gris o café	Euforia, prevención de los síntomas de carencia	Adicción, constipación, inapetencia	Sí	Sí
Morfina	Depresora del sistema nervioso central	Sulfato de morfina	Se ingiere o se inyecta	Polvo blanco, tableta o líquido	Euforia, prevención de los síntomas de carencia	Adicción; constipación, inapetencia	Sí	Sí
Cocaína	Estimulante, anestésica	Metilben-zoecgonina	Por la nariz, inyección o se ingiere	Polvo blanco, líquido	Excitación	Depresión, convulsiones	No	Sí
Codeína	Depresora del sistema nervioso central	Metilmorfina	Se ingiere	Tableta, líquido, jarabe para la tos	Euforia, prevención de los síntomas de carencia	Adicción; constipación, inapetencia	Sí	Sí
Metadona	Depresora del sistema nervioso central	Hidroclorhi-drato de metadona	Se ingiere o se inyecta	Tableta, líquido	Prevención de los síntomas de carencia	Adicción; constipación, inapetencia	Sí	Sí
Barbitúricos	Depresores del sistema nervioso central	Fenobarbital, Pentobarbital, Secobarbital	Se ingiere o se inyecta	Tabletas, cápsulas	Reducción de ansiedad, euforia	Graves síntomas de carencia, convulsiones, psicosis tóxicas	Sí	Sí
Anfetaminas	Estimulante del sistema nervioso central	Anfetamina, Dextroanfetamina, Metanfetamina	Se ingiere o se inyecta	Tabletas, cápsulas, líquido, polvo blanco	Agudeza mental, energía	Inapetencia, ilusiones, alucinaciones, psicosis tóxica	Sí	Sí
LSD	Alucinógeno	Dietilamina del ácido lisérgico	Se ingiere	Tabletas, cápsulas, líquido	Agudeza mental, deformación de la percepción, placer	Puede agravar psicosis existentes, reacciones de pánico	No	Posible
Cemento de zapatería	Depresores del sistema nervioso central	Hidrocarburos aromáticos	Se inhalan	Cemento plástico	Intoxicación	Daño de la percepción, coordinación y juicio	No	Sí

Consejos prácticos (no deje de leerlos y aplicarlos)

- Hable con su hijo claramente sobre la droga y sus peligros, que él solo se convenza de que eso no lo llevará a ninguna parte; que no vale la pena ni siquiera experimentarlo.
- No descarte la posibilidad de que su hijo sea víctima de la droga.
- Esté pendiente de sus amistades.
- Que no disponga de grandes cantidades de dinero.
- Si tiene conductas extrañas –se encierra, baja en el estudio, no aparece, tiembla, no da la cara, etc.– hay que actuar.

¿Cómo descubrir si su hijo se droga?

"La pregunta más frecuente que los padres formulan acerca del abuso de las drogas en los adolescentes es probablemente: ¿cómo puedo saberlo? No hay métodos infalibles, pero los siguientes síntomas y signos del abuso de las drogas pueden ser útiles como guía.

"1. Disminución de la vivacidad de las reacciones e incapacidad para pensar claramente.

"2. El habla lenta y tartajosa.

"3. Comportamiento perezoso, falta de energía y tendencia a dormir mucho o a la somnolencia.

"4. Cambios llamativos de humor, sobre todo irritabilidad, amplias variaciones del humor y depresión.

"5. Deterioro del desempeño del colegio.

"6. Debilitamiento del impulso y la ambición; actitudes caprichosas frente a la vida en general.

"7. Infecciones frecuentes.

"8. Pérdida de peso y disminución del apetito (excepto en los consumidores de mariguana, que tienden a mostrar voracidad y pueden aumentar de peso).

"9. Interrupción de la menstruación.

"10. Decoloración pardoamarillenta de la piel del pulgar y el índice (en los fumadores frecuentes de mariguana).

"11. Marcas de agujas en los brazos y en las piernas (en los que se inyectan narcóticos y otras drogas).

"12. Ojos inyectados en sangre (en los consumidores de mariguana y los alcohólicos).

"13. Pupilas dilatadas (las pupilas comprimidas, como puntas de alfiler, pueden ser un signo del uso de narcóticos).

"14. Tos excesiva y crónica.

"15. Dolores de cabeza frecuentes.

"16. Hiperactividad (usual en el consumo de cocaína y anfetaminas).

"17. Reacciones destacadas de ansiedad, paranoia o alucinaciones.

"18. Goteo de la nariz y fosas nasales rojizas, irritadas (en los consumidores de cocaína)" *Dr. C. Robert y Nancy J. Kolodny, Dr. Thomas Bratter y Cheryl Deep.*

La sociedad permisiva

Al fenómeno de las evasiones hay que sumar un hecho importante: vivimos en una **Sociedad permisiva.**

Para muchos adolescentes de hoy todo se puede, debe haber permiso para todo.

"¿Es el permisivismo un bien para el hombre?", se pregunta Thibon. "Cabe ponerlo en duda si se juzga al árbol por sus frutos. Porque ocurre que el hombre, desde que puede permitírselo todo, está vacío. Es una especie del niño mimado que patalea de aburrimiento. El hombre, en esta situación, bosteza su vida."

Una vez más, lo que se requiere es un diálogo. Hay que explicarle al adolescente que todo tiene un límite, que sin límite se pierde todo un río, se hace charco y no sirve para nada.

Otras razones por las que algunos adolescentes recurren al alcohol, la droga y el sexo

Aunque pienso que para una persona bien formada las razones básicas que le llevan a caer en problemas de droga, sexo y alcohol son razones de evasión, se suelen citar otras causas, que no queremos omitir, porque pueden orientar a los padres:

- Curiosidad
- Un cierto deseo de desinhibirse
- Un mal enfocado deseo de mostrar la masculinidad (en varones)
- Rechazo y rebeldía
- Existe una continua llamada a recurrir a ellos: publicidad, música en canciones, etcétera.
- Quererse sentir adulto
- Ir contra lo prohibido
- Molestar a los padres

3

Aprenda usted a ser padre de un adolescente

El amor todas las cosas iguala.

Don Quijote de la Mancha I, cap. 2

Cuatro condiciones importantes

Cuando los hijos crecen, la función de padre tiende a complicarse. En muchas ocasiones he hablado con matrimonios que, orgullosos de la primaria de su hijo, preguntan desconcertados por qué bajó calificaciones en secundaria; en otras ocasiones el problema no son tanto las calificaciones, sino la obediencia: ya no obedece como antes.

Bueno, lo que sucede es que la hija o el hijo deja de ser niña o niño y comienza a ser adolescente y, como ya hemos dicho, es muy importante que los papás entiendan este cambio, pues sólo así podrán verdaderamente ayudar a su hijo.

Creo que cuando el hijo llega a la adolescencia, es el momento en el que los padres deben ejercitar especialmente cuatro virtudes:

- paciencia
- cariño
- comunicación
- autoridad

Suele suceder que los hijos llegan a la adolescencia en una edad en la que los papás están un tanto irritables: papá, porque está en la cumbre de su vida profesional, muy cerca de los 40 años, y las presiones profesionales lo tienen tenso y absorbido; mamá, en cambio, puede estar pasando por la menopausia, que tiene también sus repercusiones psíquicas. Entonces tanto papá como mamá no están en su mejor momento. Sin embargo, la adolescencia es implacable y es necesario que los dos se ocupen a fondo de su hijo y le ayuden a madurar.

Paciencia

Es posible que si de pronto la hija o el hijo, siempre bueno, o más o menos bueno, comienza a faltar, no cuenta nada, o regresa a deshoras, o reacciona con malos modales ante el interés de los padres, o descuida su atuendo personal . . . mamá o papá se enojen. Sin embargo, con ello no ganarán nada, o quizá lo único que ganarán es que su nuevo adolescente les tome la medida. Si tiene que enojarse, enójese, pero no pierda los estribos.

Paciencia: recuerde que su hijo es él, no usted, y que él no va hacer las cosas como usted las quiere, sino como él las quiere, aunque lógicamente usted está para ayudarle a hacerlas bien y corregirle si las hace mal, pero todo dentro de un estilo, que debe ser más el de su hijo que el suyo.

Yo he visto padres que pierden la paciencia y se desesperan porque su hijo no quiere jugar futbol soccer o todavía no quiere ir a fiestas o tener tales o cuales amistades.

Los regaños semanales

Es lógico que un adolescente presente veinte frentes distintos en los que debe mejorar, según los papás:

- que se siente bien
- que se vista bien
- que baje el volumen
- que salude a las visitas
- que sea puntual
- que no masque chicle

- que cierre las puertas
- que sea breve en el teléfono
- que etc., etc., etc. . . .

Entonces si mamá y papá mañana, tarde y noche se lo están haciendo notar, el resultado más esperado será el bloqueo, aunque esto depende un poco de los temperamentos. La sugerencia es que se planeen bien una o dos sesiones a la semana y que se insista en uno o dos puntos concretos y no en veinticinco. Paciencia, entonces; comprensión. Así son . . . ya se les pasará.

Sirve mucho, para tener paciencia con los adolescentes, acordarse de cómo fuimos de adolescentes nosotros y lo que hacíamos, decíamos y pensábamos en esa edad.

Definitivamente no está bien y es algo que hay que corregir, pero no es el fin del mundo, cuando alguien sale de su casa por la noche sin avisar, porque si avisa le dicen que no. Está mal, hay que corregirlo y castigarlo, pero repito, no es el fin del mundo. Como tampoco es el fin del mundo cuando un grupito de niñas o niños curiosea a escondidas fotos porno; está mal, hay que corregir, pero paciencia. Recuerdo que en una ocasión una mamá me pedía que expulsáramos a un niño que llevó una revista pornográfica a la escuela; le expliqué que nuestra visión en ese caso era ayudar al niño y a los papás, para que se resolviera el problema . . . Pasó el tiempo y su hijo tuvo un problema similar.

Publicaré más adelante algunos comentarios que hacen adolescentes sobre sus mamás, y es francamente triste observar lo devaluadas que están esas mamás que pierden el control ante sus hijos. Por ello paciencia, y creo que para lograrla es importante, si no se está seguro de sí en ese momento, no enfrentar al hijo.

Cariño

Muchas veces hemos explicado en cursos a padres de familia urgidos de aprender psicología o pedagogía, para educar mejor a sus hijos, que la mejor regla para educar es el cariño; no es la única, pero es la mejor. El cariño al hijo es más útil para educarlo que el mejor best seller de la educación.

$$E = A + T$$

E = Educación
A = Amor
T = Tiempo

En cierta ocasión dijo Uriel Bronfenbrenner, psicólogo de la Universidad de Cornell: "Para desarrollarse, un niño necesita la dedicación sacrificada e irracional de uno o más adultos que le cuiden y compartan su vida con él". Cuando le pidieron que explicara qué entendía por "dedicación irracional", dijo: "Tiene que haber alguien que esté loco por el niño".

Cambiemos adolescente por niño en la frase de Bronfenbrenner y tendremos todo un plan de trabajo para la adolescencia del hijo.

Locos por el adolescente

Efectivamente, si queremos sacar adelante, bien formado, a un adolescente, hace falta una dedicación sacrificada; esto se manifiesta en detalles como:

- Dar siempre buen ejemplo, esto es, procurar no enojarse, beber con medida, etcétera.
- Esperar al hijo cuando va a una fiesta.
- Cancelar el plan "tranquilo" del domingo para ir a ver la final de su juego de tenis.
- Sentarse con él a ver el programa que le gusta.
- Pensar más en él y sus cosas que en mis propios gustos y apetencias.
- Saber pedirle perdón, aunque esto humille, cuando le hayamos herido.
- Organizar las vacaciones en función de los hijos.
- Perdonarlo siempre.
- Buscarle sus virtudes y felicitarlo por ellas.
- Cambiar y mejorar por el hijo.
- Etc., etc., etc.

Comunicación

Primero entre los padres

Comunicación y educación son en muchos sentidos términos correlativos; difícilmente se da el uno sin el otro.

He visto en muchas ocasiones que aquellos adolescentes que sólo son educados por uno de los dos padres, son mal educados. Ahora me explico: si no trabajan los dos en las decisiones educativas del hijo, el asunto va mal; porque, según he visto, las soluciones aisladas que da cada uno de ellos, son erróneas; en cambio, cuando la solución no es ni lo de papá ni lo de mamá, sino la de ambos, porque hablaron, pensaron y llegaron juntos a una solución, esa decisión es la acertada. Lo que no pudo hacer uno solo, que no lo eduque uno solo: es fruto del cariño de los dos y de la intervención divina; que lo eduquen entre los dos, también con la intervención divina.

Importante es que entre papá y mamá haya diálogo; entre otras cosas porque, si no, el hijo se da cuenta y termina saliéndose con la suya: divide y vencerás.

"*Adolescente:* Me invitaron a una maravillosa excursión para esquiar el próximo fin de semana. Iré con Pedro y Luis. Estaré fuera de casa una noche, y todo cuesta sólo 1 200 pesos.

"*Padre:* Bien, no estoy seguro de que . . .

"*Adolescente* (con voz premiosa y enfática): Sé que mamá está de acuerdo. ¿Qué dices, papá? ¿Por favor?

"*Padre* (escéptico): Oh, imagino que si tu madre lo aprueba . . .

"(Un poco después, es una conversación a solas con la madre.)

"*Adolescente:* Tengo la oportunidad de ir a esquiar el próximo fin de semana con Pedro y Luis, y papá dice que puedo ir. ¿Quieres que haga algo para ayudarte antes de mi salida?

"*Mamá* (vacilante): Bien, si tu padre lo aprueba, yo también estoy de acuerdo" *Dr. C. Robert y Nancy J. Kolodny/Dr. Thomas Bratter y Cheryl Deep.*

Elementos de unión

Si nada me une con otra persona, será muy difícil que pueda entablar una buena comunicación; la relación padre-hijo, que es muy fuerte, sola, en algunos casos, es insuficiente, y en ocasiones perjudicial; se requieren más elementos comunes.

Por elementos comunes entendemos:

- compartir un problema
- una afición
- una propiedad
- una preocupación
- etcétera

Aunada al elemento común debe ir la convivencia, que, como ya hemos visto, debe ser frecuente: comidas, paseos, festejos, sobremesas, etcétera.

Obviamente, la comunicación con el adolescente no será en un solo sentido; uno, como papá, también deberá acostumbrarse a:

- Rectificar
- Pedir consejo
- Confiar intimidades

No esperar una comunicación en base a preguntas que se hagan al hijo, ya que las respuestas, si las hay, suelen ser monosilábicas.

Normas prácticas para comunicarse con el adolescente

- No lo calles nunca
- No temas reconocer que te equivocaste
- No critiques
- No te enojes
- No pretendas tener respuesta a todo
- No discutas
- Ponte en su lugar (del hijo)

- Respeta los puntos de vista contrarios
- Escucha con verdadero interés
- No pretendas imponerte

Autoridad

No al autoritarismo

"Hay que evitar el autoritarismo, que es ejercicio arbitrario, caprichoso, de la autoridad, sin referencia a criterios estables y sin buscar la mejora de los hijos como personas. También es autoritarismo ejercer la autoridad con imposición, sin explicar a los hijos el porqué de cada exigencia o sin escuchar su punto de vista. Hay que evitar el autoritarismo, pero no hay que tener miedo a ejercer la autoridad" *G. Castillo.*

Esto no quiere decir que esté prohibido dar órdenes, sino simplemente que ni el papá ni la mamá pueden ser unos tiranos.

Democracia familiar

Tres voces y dos votos, leyes estables; ésta es la mejor solución al autoritarismo: que, por un lado, haya ya en el hogar una serie de leyes fijas que todos conocen, aprueban y respetan; pocas, pero fijas y estables. Algunas pueden ser:

- Nadie debe levantarse, sin causa justa, más tarde de lo normal. Por ejemplo: entre semana, más tarde de las 7:30 u 8:00 a.m.; los domingos, a las 10:00.
- Quien come fuera de casa debe pedir permiso con tiempo para que no se quede servida su comida.
- Hora de llegada tope en la noche, 9:00 p.m.; si se llegará más tarde, avisar.
- Una fiesta a la semana.
- Los permisos se piden con tiempo.
- Las fiestas familiares se respetan; en principio, todos comen en casa.
- No a las dormidas fuera, excepto en casos especiales.
- La televisión se prende por tiempo; por ejemplo, una hora en tal momento.

Reglas amables y estables, que se llaman costumbres

Por otro lado, además de las reglas fijas, surgirán mil detalles concretos sobre los que conviene decidir; entonces, el buen padre sabrá decir, sobre todo si se trata de un asunto muy complejo: "Déjame pensarlo o déjame verlo con tu mamá". Esto le da mucho más peso a la decisión. Luego se le comunica al hijo: "Hemos decidido esto, por estas razones". A veces la solución debe ser tajante, otras será negociable.

Autoridad que promueva autonomía

Hemos dicho anteriormente que los hijos no son de los padres en el sentido de propiedad, aunque sí en el sentido de responsabilidad; por ello es necesario que los padres manden y sepan mandar, pero no al modo del ejército.

Hay que formar a los hijos en la libertad, que hagan las cosas porque quieren, que pierdan el miedo a obedecer: que no piensen que obedeciendo vuelven a la infancia, porque ahora obedecen racionalmente, porque quieren hacerlo.

Sugerimos no dar al hijo las órdenes detalladas, aunque en algún caso sí convenga; pero en la mayoría de las ocasiones hay que dar el criterio, las bases, y después que cada uno decida.

- "Te sugiero que te regreses el miércoles, a más tardar el jueves."
- "Procura no gastar más de cien pesos."
- "Ve cuando quieras, aunque a tu mamá y a mi nos gustaría que no fuera mañana."

Cómo ven los adolescentes a sus padres

Presentamos a continuación una serie de respuestas de adolescentes a cuestionamientos que se les hicieron sobre sus padres, en México en 1992:

- ¿En qué te da mal ejemplo tu papá?
- ¿Crees que te entienden tus padres? ¿por qué?
- ¿Cuáles son los defectos de tu mamá?

- ¿Qué le pedirías a tu papá para que fuera mejor padre?
- ¿En qué te da ejemplo tu papá?

¿En qué dan mal ejemplo los papás?

- "En vivir en cierta forma, de una manera negativa y no gozar la vida; de vez en cuando toma en exceso."
- "A veces me da más de lo que merezco."
- "En la falta de paciencia con mi mamá; a veces se desquita con ella, razona de una manera muy ilógica y no entiende a mi mamá."
- "En que no es muy fiel a la religión."
- "Mi papá me da un mal ejemplo al ser tan bueno, es muy pasivo."
- "Es mentiroso, enojón, sangrón, trabaja exageradamente, en que prefiere trabajar que estar con nosotros, es mal administrador, conformista."

¿Crees que te entienden tus padres? ¿Por qué?

- "No. Porque después de un problema que hubo en la casa, mi papá llegaba siempre de genio y yo me empecé a alejar de ellos y hasta el momento no me he podido acercar nuevamente como antes; quizá ellos pensaron que me alejé para no ayudar en ese problema. Además, como mis otros dos hermanos tienen un punto de vista diferente, todo se complica siempre y hay problemas."
- "Sólo algunas veces. Porque aunque les exponga la situación, ellos creen saber cómo pasó todo, y aunque estén equivocados, ellos creen tener la razón, descartando todo lo que yo diga."

¿Cuáles son los defectos de tu mamá?

- "Son pocos. Es un poco enojona, pero yo la entiendo. Creo que ése es el único defecto que tiene, aunque para mí es la mamá perfecta."
- "Su carácter es a veces muy acertado, pero en ocasiones es muy impulsiva."
- "Que se pone histérica cuando hago algo que no le parece y grita mucho; es lo que me hace enojar."

- "Que a veces es muy paciente."
- "Ser muy flexible en los castigos: nos los pone y después no los cumple."
- "Siempre anda muy atareada, como es muy nerviosa; hay veces que no me comprende algunas cosas, en cambio mi papá sí".
- "Que muchas veces no nos cumple los castigos que nos pone".
- "Es muy nerviosa; cuando salgo de noche siempre se queda despierta hasta que regreso, y si ve que me tardo un poco más de la hora en que había quedado, me sale a buscar. Yo creo que sí es un defecto, porque hay que saber controlar los nervios. Otro es que es muy gritona; cuando se enoja mucho, grita que podría despertar a un muerto, y ése sí que es defecto, porque bien dice el dicho: 'Hablando se entiende la gente'."
- "Ella no me exige mucho en la escuela y yo creo que no tiene defectos, a mí me gusta tal y como es; no la cambiaría por otra mamá si se pudiera."
- "Fuma mucho y es muy dormilona, pero lo desquita con el trabajo; fuera de eso, yo pienso que el único defecto de mi mamá es que me pone las cosas muy fáciles y me consiente a veces de más."
- "Que es muy exagerada, se preocupa demasiado y no debe de ser así, porque un joven es capaz de cuidarse solo en algunas ocasiones; piensa que todavía soy un niño y no puedo hacerme cargo de mis problemas."
- "Trabaja demasiado, casi por impulso, pero nunca se olvida de nosotros; no tiene una buena administración."

¿Qué le pedirías a tu papá para que fuera mejor padre?

- "Más paciencia."
- "Que fuera más comprensivo y más abierto; conmigo él es una persona dura y cerrada, yo quisiera platicar y estar más con él. Que fuera más positivo; es una persona con muchos problemas y muchas ocupaciones. Quisiera que se acercara más a Dios y cambiara su carácter."

- "Yo creo que le pediría pocas cosas, como por ejemplo que me exigiera un poco más en la cuestión del trabajo, del negocio y del hogar."
- "A mí me gustaría que para mí, mi papá fuera mejor, que jugara conmigo, que fuera más flexible y que llevara su vida espiritual más fuerte, porque casi no comulga en misa."
- "Que se pusiera en mi lugar, que pensara como si él fuera yo, que separara el trabajo de la casa, que cuando esté en la oficina se concentre en el trabajo y cuando esté en la casa se olvide de los problemas del trabajo, que no se olvide nunca de que todos cometemos errores y que siempre hay una forma de resolverlos, que no nos quiera enseñar algo si él no lo sabe o no lo hace, que si exige respeto, respete a los demás y no sólo por ser mi padre quiera que lo respete. Que cumpla lo que promete y no por un error que tienes todo lo que ya habías ganado lo pierdas, que entienda que no todo con castigos se soluciona, que a lo mejor es peor, que se dé cuenta de tu esfuerzo o que lo demuestre, porque esto te ayuda a seguir adelante y no sólo cuando haya algo mal; que si algún día te pide algo y tú no quieres o no puedes, no te diga: 'Te vas a acordar luego, a ver quién necesita primero de quién, ¿eh?', que no sea tan codo."
- "Yo le pediría a mi papá más comprensión, puesto que estamos en una época muy difícil de nuestra vida; confianza, mucha más confianza, porque sí le he fallado, pero pienso que merezco más oportunidades. Cariño, debido a su trabajo que es rutinario, los sábados y domingos que me gustaría ir de pesca o de cacería, él esos días los ocupa para descansar."
- "Yo le pediría que me enseñara algo de lo que hace, o sea, de su rutina. Ejemplo: mi papá tiene la costumbre de ir a tirar con rifles, pero se va con sus amigos. A mí me gustaría que me llevara un día para que me enseñara y para ver cómo es el ambiente."
- "Un poco más de atención, porque siempre que, por ejemplo, me dice de mis estudios, se irrita, y yo quiero hablar de mis estudios, pero no quiero que nos irritemos. Que no sea tan terco con las cosas. Que al momento de hablar no se irrite, porque es muy mala onda eso. Que nos enseñe a estar juntos porque si él se molesta siempre que estamos juntos, prefiero salir con mis amigos que estar con él. Que se fije también en lo poco; antes él no pasaba la colegiatura y ahora sí, entonces siempre está que mis calificaciones, que las clases . . ."

- "Todo me da mi papá, pero lo que le falta es cariño y un poco de hobbies, como tener motos, una lancha para esquiar, etc.; lo puede tener, pero no le gusta este tipo de cosas."
- "Nada más que fuera un poco más ordenado."
- "Que hablara con tiempo y oportunidad para prever, y en general que 'suba a las estrellas' dejando los pies en la tierra muy bien plantados."

¿En qué te da ejemplo tu papá?

- "En ser esposo; él me demuestra cómo le es fiel a mi mamá, nunca ha hecho 'gachadas', de que otra mujer o algo por el estilo."
- "En su trabajo, pues siempre todo lo que hace lo hace bien, no deja nada a medias y nunca nos falta dinero. Moralmente trata de seguir un camino cristiano y siempre estar cerca de Dios. Es muy pasivo y tranquilo; cuando tiene problemas, siempre piensa qué hacer antes de enojarse."
- "En que es muy deportista, no tiene ningún vicio."
- "Mi papá me da ejemplo en muchas cosas como:
  - trato a la demás gente
  - forma de educar a sus hijos (mis hermanos)
  - trabaja todos los días y con mucha profesión
  - es discreto
  - piensa las cosas antes de hacerlo
  - es buen amigo
  - todo lo que hace, trata de hacerlo lo mejor que puede
  - le da su lugar a cada persona
  - es muy sincero (no se anda con rodeos)."

¿Cuánto conoces a tus hijos? (Test)

Una adecuada educación familiar se inicia en la comprensión respecto al modo de ser de cada uno de sus miembros. Esta comprensión exige un conocimiento objetivo del carácter, gusto, aficiones, talento, etc., de nuestros hijos adolescentes.

El siguiente cuestionario está dirigido a que advirtamos, por una parte, qué tanto conocemos de nuestros hijos, y por otra, a servirnos como herramienta para empezar a conocerlos mejor.

Responda el cuestionario a solas por cada hijo que tenga y reúnase después con ellos para revisar sus respuestas y evaluar qué tanto conoce a cada uno.

Prueba a los padres

(Para llenar juntos papá y mamá)

1. ¿Quién es el mejor amigo(a) de su hijo(a) en el vecindario?

____

2. ¿Quién lo es en el colegio?

____

3. ¿Qué día es su fecha de nacimiento?

____

4. ¿Cuál ha sido el logro que más le ha llenado de orgullo este año a su hijo(a)?

____

5. ¿Qué materia(s) le resulta(n) más atractiva(s) en su colegio?

____

6. ¿Cual(es) le disgusta(n) más?

____

7. ¿Qué programa de televisión es su favorito?

____

8. ¿Cuál es su deporte favorito para practicar?

____

9. ¿Cómo se llama(n) su(s) maestro(a)(s) predilecto(a)(s)?

____

10. ¿Qué desea estudiar cuando sea mayor?

____

11. Qué combinación (de camisa o blusa y pantalón) le gusta más vestir?

____

12. ¿Qué regalo le gustaría más recibir?

____

13. ¿A qué hora prefiere hacer sus tareas?

____

14. ¿Qué tipo de objetos guarda en sus cajones? (mencionar tres al menos)

____

15. Si es aficionado(a) a algún deporte profesional, ¿a qué equipo le va?

____

16. ¿Tiene algún apodo entre los vecinos o compañeros(as) de escuela? ¿Cuál es?

____

17. ¿Qué cosa le produce más temor?

____

18. ¿Qué cosa le produce más vergüenza?

____

19. ¿Cuál es el pariente que le gusta más visitar?

____

20. ¿Cuál fue la última película a la que asistió?

____

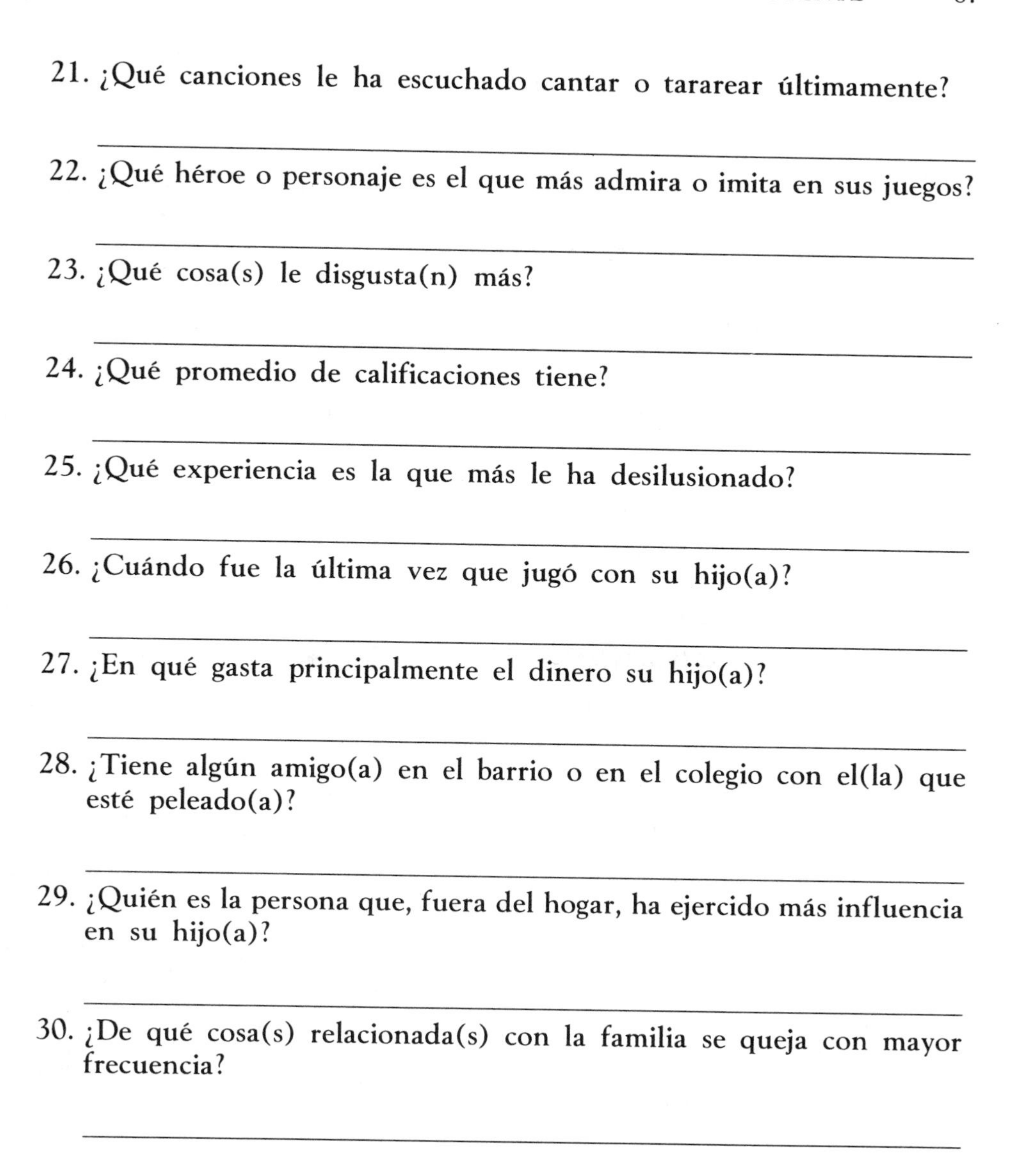

21. ¿Qué canciones le ha escuchado cantar o tararear últimamente?

____

22. ¿Qué héroe o personaje es el que más admira o imita en sus juegos?

____

23. ¿Qué cosa(s) le disgusta(n) más?

____

24. ¿Qué promedio de calificaciones tiene?

____

25. ¿Qué experiencia es la que más le ha desilusionado?

____

26. ¿Cuándo fue la última vez que jugó con su hijo(a)?

____

27. ¿En qué gasta principalmente el dinero su hijo(a)?

____

28. ¿Tiene algún amigo(a) en el barrio o en el colegio con el(la) que esté peleado(a)?

____

29. ¿Quién es la persona que, fuera del hogar, ha ejercido más influencia en su hijo(a)?

____

30. ¿De qué cosa(s) relacionada(s) con la familia se queja con mayor frecuencia?

____

Evaluación

30-25 Refleja su preocupación por sus hijos y una excelente corriente de comunicación.

24-20 El conocimiento de sus hijos indica buena observación y capacidad de escuchar lo que les agrada y les desagrada.

19-12 Puede decirse que conocen a sus hijos. Pueden, sin embargo, afinar dedicando más tiempo a ellos y estableciendo mayor comunicación familiar a base de participación.

11-0 Probablemente están ustedes demasiado preocupados por sus propias cosas o sus hijos son muy poco expresivos. Es tiempo de darle a la familia un lugar preponderante: salir juntos, ver menos televisión y platicar más en las comidas y otras reuniones.

Los diez mandamientos de un adolescente a sus padres

1. Por favor no me des todo lo que te pido. Una negativa me demuestra que te importo. Agradezco que haya normas a seguir.
2. No me trates como a un niño pequeño. Aunque sepas que es lo "correcto", me hace falta descubrir algunas cosas por mí mismo.
3. Respeta mi necesidad de tener privacía. Con frecuencia requiero estar solo para ordenar mis pensamientos y soñar despierto.
4. Jamás digas "En mis tiempos . . .". Eso me molesta de inmediato. Además, las presiones y las responsabilidades de mi mundo son más complicadas.
5. Yo no escojo a tus amigos ni tu ropa; por favor, no critiques a los míos. Podemos diferir y aun respetar las elecciones del uno y del otro.
6. Abstente de rescatarme constantemente; aprendo más de mis errores. Hazme responsable por las decisiones que tomo en la vida; es la única manera en que llegaré a ser juicioso.
7. Ten suficiente valor para compartir conmigo tus decepciones, pensamientos y emociones. Jamás seré demasiado grande para oír que me amas.

8. No recites volúmenes completos al hablar conmigo. He recibido muchos años de buenas lecciones; ahora confía en mí por la sabiduría que compartiste conmigo.
9. Te respeto cuando pides mi perdón por un acto desconsiderado de tu parte. Demuestra que ninguno de los dos somos perfectos.
10. Sienta un buen ejemplo para mí, como fue la intención de Dios; presto más atención a tus acciones que a tus palabras.

. . . Y recuerde, usted también tuvo 15 años

Yo también tuve 15 años

Escúchame,
yo también tuve 15 años.
Escúchame,
se me escaparon de las manos,
y ya lo ves,
estoy rozando los cuarenta,
pero he buscado unos minutos para ti.
Puedes decir que no,
que tus problemas no me importan,
pero no es verdad;
yo fui también así,
rebelde como tú.
Tienes un presente, vívelo.
Eres el futuro y creo en ti.
Eres la respuesta y la consecuencia
del amor.
Tienes el fuego, cuídate de él, cuídate.
Tienes unas manos que llenar,
tienes un espacio que cubrir,
tienes mil preguntas, la respuesta
vive sólo en tí.
Tienes un sueño, acarícialo,
ve tras él.

Escúchame,
yo también tuve 15 años.
Escúchame,
se me escaparon tantos sueños,
y ya lo ves.
Estás a tiempo de intentarlo,
hay tantas cosas que despiertan para ti.
Puedes decir que no,
que en el trabajo no hay futuro,
pero no es verdad;
yo también fui así,
rebelde como tú.
Tienes tantas cosas que aprender,
tienes mil estrellas sobre ti.
Abre la ventana,
hoy la luna brilla para ti.
Debes creerme.

Dime que es verdad, dímelo.
Tienes un presente, vívelo.
Eres el futuro y creo en ti.
Eres la respuesta y la consecuencia
del amor.
Tienes el fuego, cuídate de él, cuídate.

Letra e interpretación de *José Luis Perales*

4

Quiero ayudar a mi hijo adolescente

La honra y las virtudes son adorno del alma, sin las cuales el cuerpo, aunque lo sea no debe parecer hermoso.

Don Quijote de la Mancha I, cap. 14

Lo primero es darle un buen padre

Durante años he entrevistado a padres de adolescentes preocupados por sus hijos y dispuestos a hacer lo que haga falta para que su hijo mejore, para que su hijo madure; mi consejo es prácticamente el mismo en todos los casos: "En primer lugar, y si realmente estás dispuesto a darle a tu hijo lo que necesite, te puedo decir que debes darle un buen padre".

"Darle un buen padre, porque mientras mejor seas tú, mejor será tu hijo. Basta echar un vistazo a nuestra propia adolescencia y a lo que aprendimos de nuestros padres, no tanto por lo que nos decían sino por lo que hacían."

Este es el punto. Cómo un padre o una madre ayudará a madurar a su adolescente que, por ejemplo, siempre está de mal humor, o que bebe mucho, o que es flojo y desordenado.

"Quiero que mi hijo mejore; debo mejorar yo." Conozco un papá que, con cierta afición a las copas, hizo con su hijo adolescente el siguiente pacto:

– Si me prometes hacer un esfuerzo por subir calificaciones, te prometo dejar de beber; ¿estás de acuerdo?

–De acuerdo.

Pasó el tiempo y el papá dejó de beber y el hijo mejoró sus notas. Sé que no siempre se debe obrar así, pero en este caso funcionó.

Yo tengo mucho que ver en la felicidad de mi hijo

Quién puede negar que del equilibrio del hogar y la madurez de los padres depende en buena medida que se dé el ambiente adecuado para la felicidad de los hijos.

Enumero a continuación una lista de aspectos positivos de la conducta de los padres que son de gran importancia para los adolescentes.

1. Trabajar con intensidad
2. No criticar, querer a todos, perdonar siempre
3. No discutir en público con el cónyuge
4. Beber moderadamente
5. Ver la TV con moderación
6. Carácter equilibrado
7. Fidelidad matrimonial
8. Eliminar y/o resolver problemas personales que, sin ser públicos, afectan el equilibrio de la persona
9. Vida espiritual
10. Aprovechar el tiempo

En ocasiones algunos padres de adolescentes dicen: "Es que yo no le he dado mal ejemplo, nunca me ha visto hacer tal cosa . . ." No se trata sólo de lo que el hijo ve hacer al papá, hay que ir más a fondo; lo fundamental es lo que el hijo ve en el papá, lo que el hijo descubre en el papá o la mamá y lo que no descubre . . . porque eso tiene un valor fundamental.

Tu adolescente: un reto importante

"Los hombres generalmente gozan de los retos personales. Pocas cosas nos hacen sentir más vivos que enfrentar problemas complejos y resolverlos, situaciones que requieren de nuestras fuerzas personales como la creatividad, el trabajo en equipo, la imaginación, la perseverancia, la voluntad y el juicio de la experiencia. Día a día los hombres resolvemos problemas en el trabajo y así, usando nuestras fuerzas personales, mantenemos económicamente a nuestras familias.

"El reto más grande que un hombre puede enfrentar es el de educar correctamente a sus hijos; sin exagerar, se puede decir que el éxito o fracaso en su vida depende de esta misión.

"Muchos hombres, desafortunadamente, no tienen éxito en esta tarea, aunque nadie se propone fracasar en la educación de sus hijos. La falla en esta importante responsabilidad viene generalmente de la negligencia no intencional, o de la falta de conciencia, en cierto sentido de una ignorancia y falta de información. En mi opinión, muchos padres de hoy ignoran que existe un problema: que sin querer, no ejercitan el liderazgo moral que necesita su familia" *J. B. Stenson.*

Ese liderazgo moral del que habla Stenson es lo que hemos analizado al inicio del capítulo.

Partir de una base realista

Mi hijo es el dueño de su vida

Entendámonos: un hijo es un hijo, pero no es algo –ya se ha dicho– que nos pertenezca y con lo que podamos hacer lo que queramos, entre otras cosas diseñar su carrera, programarle un matrimonio, unos deportes favoritos, etc. Y esto un buen padre no lo puede hacer ni siquiera veladamente.

La labor del papá será prepararlo para que sepa administrar su libertad; incluso, cuando él pregunte algo, muchas veces la respuesta correcta será decirle: "Piensa bien esto y aquello, pero lo mejor es que tú decidas".

Queda claro entonces que ayudar a un adolescente no es resolverle sus problemas, sino orientarlo y "lanzarlo a que los resuelva él".

En un principio hablamos mucho de la importancia de la intimidad en el adolescente; ahora decimos que si no logra esa libertad, ese compromiso de sentirse libre, dueño de sí, esa intimidad no llegará a desarrollarse del todo; aunque para irlo soltando, dejando en libertad, algo de su intimidad estará ya desarrollada, de otro modo lo que habría es libertinaje.

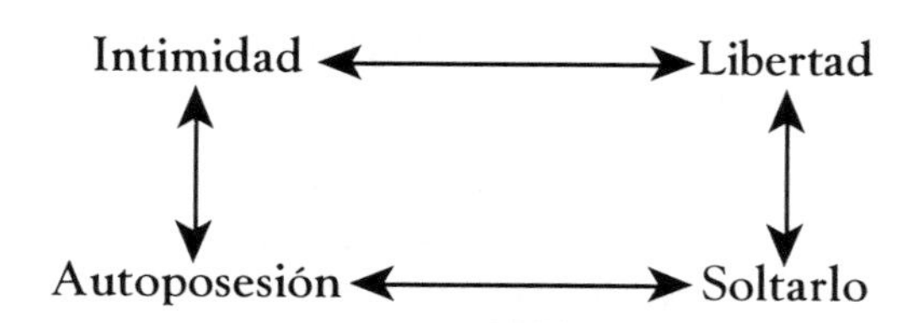

Cuanto más libre el hijo, más perfecta la obra, más pleno el gozo, más honda la alegría. Pero, al mismo tiempo, cuanto más libre el hijo, más suyo, más de él, menos del padre, menos en las manos del padre. ¿Qué será de esa nueva fuente de libertad? ¿Qué será del hijo que es ya suyo, de sí mismo? ¿Qué hará nuestro hijo con su libertad; nuestro hijo que siempre será nuestro, más nuestro cuanto más verdaderamente le amemos, pero inmediatamente suyo, más suyo, cuanto mejor le hayamos educado?

Conocer sus posibilidades

Aunque se ha dicho mucho que limitaciones cada uno tiene las que quiere, debemos aceptar que nuestro adolescente ha de tener al menos algunas, que también debemos conocer y aceptar, y que a partir de ahí hemos de elaborar un plan muy ambicioso sobre el que habremos de trabajar mucho para ayudar a nuestro hijo a desarrollarse.

Obviamente, si este plan lo elaboramos antes de que el sujeto llegue a la adolescencia y lo ponemos en práctica, los resultados serán mejores.

Conocer las posibilidades de mi hijo adolescente será conocer, por ejemplo, su carácter (Cfr. CIF), conocer también en concreto qué aficiones tiene, qué habilidades, qué defectos, etc., y procurar ser muy objetivos para que el cariño no nos ciegue.

No sería lógico, por ejemplo, que si el temperamento de nuestro hijo es amorfo, pretendamos que estudie derecho para que se dedique a la política.

Deben evitarse con los hijos las proyecciones de los padres: "Como yo no fui . . . quiero que mi hijo lo sea". "Como yo no tuve . . . quiero que mi hijo lo tenga."

En este sentido conviene tener los pies bien puestos en la tierra, para no ir por las nubes con mil sueños cuando resulta que las posibilidades del hijo son pocas. Antes de finalizar este punto quiero hacer notar que si las posibilidades del adolescente son escasas, las ambiciones de los padres no pueden serlo; entonces, sin salirse de la realidad, conviene ser ambicioso.

Cuidar lo importante

Muchas veces he visto que al educar a un adolescente, los padres se centran en puntos que francamente tienen poca importancia y descuidan lo básico. Hace años escuché una acalorada discusión de un adolescente con su padre sobre si era necesario el calentamiento previo para el levantamiento de pesas. Creo que hay muchos puntos en los que conviene que el papá o la mamá no se disgusten; en cambio, hay que afrontar en serio y a fondo lo básico.

¿Y qué es lo básico en un adolescente? Ya lo hemos visto: la intimidad y esa lucha por lograrla (véase capítulo 2), lucha contra la soledad, la desfamiliarización, el borreguismo, el autoritarismo y las evasiones.

Otro modo, complementario diría yo, de plantear esa lucha, es cuidar lo básico, y lo básico en el hombre es aquello que nos distingue de nuestros inferiores, de los animales, y a esto es a lo que llamamos alma, la cual en el hombre se manifiesta de dos modos; haciendo eso que sólo el hombre puede hacer: pensar y querer. El alma opera a través de la inteligencia (por ella pienso) y de la voluntad (por ella quiero).

Creo que tocamos un punto básico del adolescente: inteligencia y voluntad. Ahí está el asunto, ahí es donde hay que apretar, porque es ahí donde nuestra cultura es floja; si algún problema tiene el adolescente hoy, se debe a que su voluntad es de chicle, ya que piensa poco.

Cómo desarrollar su voluntad

"Educar la voluntad de nuestros hijos quiere decir prepararles para ser libres; quiere decir educarles para que sean ellos mismos los que luchen por la adquisición de virtudes. En esta tarea el ejemplo de los padres es fundamental, así como la paciencia y el optimismo" (V. Sánchez Vargas-M. A. Esparza).

Un modo práctico y sencillo de saber si una persona tiene o no voluntad fuerte o fuerza de voluntad es saber si distingue entre lo que debe y lo que quiere.

Un ejemplo: son las cinco de la tarde, Martha tiene examen mañana, le faltan 30 páginas de estudio, tiene sueño, sabe que debe estudiar. Si quiere dormir pero estudia, tiene voluntad; si quiere dormir y duerme, no tiene voluntad.

La idea es entonces animar y ayudar a los adolescentes a entender que el quiero y el debo no siempre coinciden, y debe tener siempre prioridad el debo. La peor frustración de un hombre es la incapacidad de vencerse a sí, la incapacidad de poseerse.

Algunas ideas para desarrollar la voluntad de los adolescentes

- Dejarles (hacerlos) tomar decisiones bien pensadas y pedirles que las fundamenten.
- Pedirles que terminen lo iniciado, aunque les cueste; que no dejen cosas a medias.
- Quitarles evasiones (ojo con las enfermedades).
- Que tengan metas, retos, y que los saque: un deporte, un idioma, una conquista . . .
- Cumplir encargos; todos deben tener uno en casa, que les suponga esfuerzo diario.
- Desarrollar con perfección hobbies.
- Sepultar la aversión al esfuerzo.
- Formar hábitos buenos: seguir un horario, ser puntual, etcétera.
- Que resuelvan sus problemas ellos (la vida sin problemas es una tragedia).
- Terminar las cosas bien (la obra bien hecha es el fundamento de la educación de la voluntad).

Sé de muchos adolescentes que no están a gusto con lo que son, que quieren cambiar, que prometen cambiar, pero que no pueden . . . Lloran de rabia, pero no pueden dejar ese promedio . . . Y no pueden simplemente porque su voluntad es débil.

La voluntad no se compra ni se fabrica en bloque; hay que irla fortaleciendo poco a poco, negándose al quiero y abrazándose al debo en las mil pequeñas incidencias del día.

Cómo desarrollar su inteligencia

Esta tarea tampoco es sencilla; cuesta, y cuesta mucho. Entre otras cosas, cuesta mucho porque en las escuelas de educación básica y media la inteligencia se promueve muy poco, cuando no se sofoca por completo.

La primera recomendación es:

Que aprenda a pensar

"Pensar es comprender, es decir, captar el significado de lo que se oye o se lee, hacernos cargo de lo que una cosa es.

"Pensar es reflexionar. Reflexionar consiste en 'considerar nueva o detenidamente una cosa; considerar un asunto desde diferentes puntos de vista; examinar con cuidado una cosa para formar dictamen' *Diccionario de la Lengua Española.*

"Reflexionar no es solamente una capacidad; es también una actitud. Reflexionar significa colocarse en situación de duda o de admiración ante una realidad que el pensamiento no ha conquistado todavía y, por ello, hacerse cargo de que existe aún el misterio allí donde se creía ver claro" *R. Thibon.*

Despertar en ellos el interés por la verdad

"Un riesgo que existe hoy en los jóvenes estudiantes: que sean sólo personas instruidas, sin llegar a ser personas cultas. Se puede ser muy culto sin ser muy instruido e, igualmente, se puede ser muy instruido sin ser muy culto. Naturalmente, toda cultura implica necesariamente un mínimo de instrucción, pero no es así a la inversa: puede existir instrucción sin cultura" *G. Thibon.*

Para el mismo autor, la instrucción es algo exterior, impersonal y sin diferencias de nivel (se sabe o no se sabe), mientras que la cultura implica participación vital del sujeto, modificación interior y profundización continua. Thibon ilustra esta idea con un ejemplo: saber de memoria los versos de un poeta está en el plano de la instrucción, mientras que "meditar sobre estos versos y encontrar siempre resonancias interiores, pertenece al campo de la cultura".

Y en esto se debe ir por delante y luego cuestionar sobre ello al adolescente:

- "¿Qué te parece? Hubo 120 muertos por tal ciclón ¿Qué será de sus familias?"
- "Se reunieron hombres de 100 países en el homenaje a X personaje, ¿A qué se habrá debido? Piénsalo detenidamente."

Motivarlos a un estudio serio

Juan Pablo II recuerda a los jóvenes que el estudio es un trabajo: "El estudio, en sentido técnico y preciso, es ante todo trabajo del intelecto que busca la verdad para conocerla y comunicarla. Si 'trabajo' quiere decir disciplina, método, fatiga, el estudio es ciertamente todo esto".

El trabajo de estudiar es, por tanto, una situación para aprender a pensar. Pero sus posibilidades formativas no se reducen al ámbito intelectual: favorece también aprender a querer, porque implica ejercicio de la voluntad.

Esto no sólo implica el "dame buenas notas"; va más allá:

- Que estudien para saber y gocen con los nuevos conocimientos
- Que aprendan a desarrollar su cabeza, a tener sus ideas
- Que cuestionen a sus profesores
- Que tengan temas preferidos

Y para todo esto:

- Que tengan un buen lugar para estudiar en su casa
- Que tengan y respeten un horario de estudio
- Que se preparen con ilusión para la vida universitaria
- Que tengan acceso a libros de consulta

Despertarles el interés por la cultura

El mejor procedimiento para evitar que los jóvenes sean víctimas fáciles de las influencias de la subcultura ambiental es despertar en ellos el interés hacia la verdadera cultura y favorecer las situaciones de "cultivo interior". La lectura y el estudio deben ser instrumentos de cultivo, y no simplemente de información o instrucción.

Para esto podría ser muy útil:

- Fomentarles el interés por los clásicos
- Procurar que vayan al teatro, a la ópera
- Que tengan el hábito de la lectura
- Que sepan acudir a una buena enciclopedia
- Que haya en casa conversaciones de altura
- Que asistan a cursos y conferencias

"Piensa, estudia", son dos imperativos que Santiago Martínez lanza, ya en su madurez, a la juventud de hoy.

Piensa

"La inteligencia es la potencia espiritual más noble del hombre. Es la facultad del ser y de la verdad. No caigas en el error que alguien ha llamado 'la moderna maldición del subjetivismo'; esa manía de convertir 'mis pensamientos' en 'verdades' por la soberbia tonta de que son 'míos'. No. La inteligencia 'conoce' el 'ser', no lo hace. La inteligencia 'descubre' la 'verdad', no la inventa. Por eso la verdad es lo que es, aunque 'todos' la pensemos al revés".

Estudia

"Aprovecha tus años de estudiante, pero no dejes de estudiar jamás. Pronto verás que la sabiduría nunca te estorba. La ignorancia es el mayor enemigo que Dios tiene en el mundo. La confusión mental lleva al desorden moral. Asigna algún tiempo para estudiar y leer. No pierdas el tiempo leyendo malos libros. Aconséjate siempre en tus lecturas. 'Al que pueda ser sabio no le perdonamos que no lo sea' (*Camino,* 332). Actualiza siempre tus conocimientos. Haz todos los días un rato de lectura espiritual y procura conocer a fondo la doctrina de la Iglesia".

Cuatro virtudes básicas

Es evidente que el adolescente, como cualquier otro hombre, tiene un deseo innato e imperioso de felicidad. Sin embargo, es tal la confusión es esta época y tal la inmadurez del joven, que se lanza a la búsqueda de esa felicidad igual que se lanzara hace 17 siglos Agustín, a ciegas, a tontas y a locas; y se lleva cada chasco . . .

Momento: la felicidad no está en cualquier cosa y mucho menos en una experiencia tonta y pasajera; todos la buscamos con ahínco, pero no es fácil encontrarla.

De entrada he visto que el adolescente busca la felicidad o quiere equipararla, inducido por el ejemplo de los mayores, a:

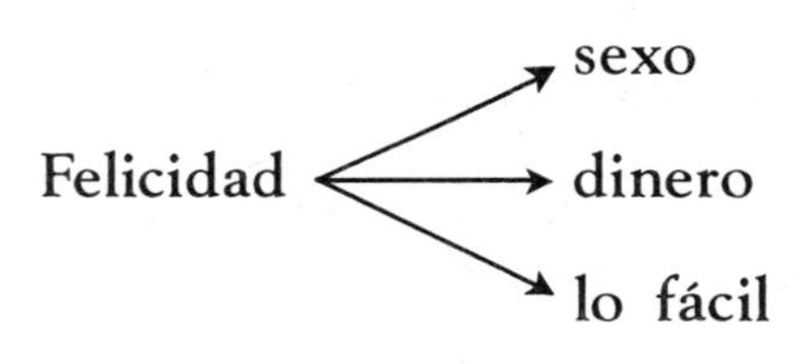

Y una vez que "descubre" esta "verdad", es fácil que se lanza tras ella, como se lanzaba el Quijote tras los molinos, pensando que en esos placeres o ese dinero o esa vida fácil va a hallar la felicidad.

No es difícil que encontremos una juventud desbocada hacia el sexo, lo económico y lo fácil. Es por ello que propongo que se le eduque en la virtud, que encauza esos tres elementos; y éstas son las cuatro virtudes básicas que ahora propongo:

- Para ordenar la sexualidad, pureza
- Para superar lo materialista, pobreza
- Para educar la pereza, fortaleza
- Para encontrar esa felicidad, piedad, Dios

Para ordenar la sexualidad, pureza

Qué mentiras tan grandes nos han contado sobre el sexo, y qué importante es hablar claro de esto a los adolescentes; creo que hemos hablado ya bastante de ello en el capítulo 2.

Agrego sólo unas ideas del doctor Santiago Martínez, dirigidas a los jóvenes:

"Sé casto. La castidad no es virtud pasada de moda. Es virtud fundamental para alcanzar el equilibrio y la felicidad. 'Es virtud primera y capital para asegurar la vida del espíritu' *Paul Claudel.* 'Es un tesoro –dice el poeta hindú R. Tagore– que nace de la abundancia del amor'. El mismo F. Nietzsche reconocía que la castidad es 'un gran amor con el que el alma envuelve al cuerpo'. 'En su plenitud, la pureza es vigor y alegría . . . la impureza es una mutilación' *Ch. du Bos.* Es, sin duda, la máxima afirmación de la personalidad. El mismo Freud califica de perversa 'toda actividad sexual que, habiendo renunciado a la procreación, busca el placer como un fin independiente de ella'.

Sé casto, porque si no lo eres serás desgraciado y harás la desgracia de los demás. Ten corazón de carne, pero no tengas corazón carnal. 'Dios no nos ha llamado a la impureza, sino a la santidad' (I Tim. 4, 7). Recuerda que en este terreno, la humildad, la sinceridad y la ayuda de María son tus mejores aliados".

Enseñarle al adolescente a tener dominio de sí, a ejercitar el pudor (respeto a su cuerpo y al de los demás); enseñarle que quien no es casto en la juventud, de soltero, posiblemente tampoco lo sea de casado, dado que también en la vida matrimonial necesitará dominio, carácter y espíritu de sacrificio.

Para superar lo materialista, sobriedad

Que aprendan a dar, no de lo que les sobra, sino de lo suyo propio.

Que sepan claramente que valen por lo que son, no por lo que tienen.

Que tengan menos de lo que necesitan; qué importante es que siempre les falte algo.

Que no tengan su corazón –su amor– en lo material: en la raqueta, en los tenis, en el estéreo.

Recomiendo urgentemente que pongamos a los adolescentes de hoy en contacto con los más necesitados. El Papa les dijo a los jóvenes:

"Vosotros podéis comprobar que la verdadera plenitud procede de la donación de sí mismo, y cuando la donación es completa, también es la plenitud y la alegría de vivir. Ayudando a los otros que pasan necesidad, os convertís para ellos en fuente y signo de esperanza. Del mismo modo, el propio cansancio, el desánimo, e incluso la propia desesperación pueden ser ahuyentados por el poder de la esperanza que procede de los demás. Esta es la misión de la juventud de hoy: hacer frente juntos a los retos de la vida, estar preocupados unos por otros y permanecer unidos en la lucha por alcanzar las metas de la vida, como los montañeros se afanan por alcanzar la cima".

¿Cuánto cuesta a un papá no darle a su hijo todo . . .? Pero veamos el punto con perspectiva: ¿cuánto daño le hace si le da todo? . . . Lo está obligando a centrarse en lo de abajo únicamente.

Contra pereza, fortaleza

Un horario, metas altas, ir a más siempre serán puntos a tener en cuenta en la formación de un adolescente.

Trabaja, sé fuerte, le pide el doctor Santiago Martínez a la juventud de hoy.

"Adquiere cuanto antes el hábito de trabajar. La ociosidad es la fuente de innumerables males tanto físicos como morales. El trabajo es para el hombre, y no el hombre para el trabajo. No es sólo fuerza, es también virtud. Está estrechamente conectado con el perfeccionamiento natural y sobrenatural de la persona humana. Si no trabajas, inutilizarás tu vida y terminarás siendo un parásito de la sociedad. Mira lo que hay que hacer y cómo lo debes hacer. Termina lo que empiezas. No dejes las cosas sin acabar, y haz con la mayor perfección posible todo lo que emprendas.

"Recuerda el conocido consejo: 'Santificar el trabajo, santificarse en el trabajo y santificar con el trabajo'.

"La fortaleza es una virtud cardinal que nos sostiene en el cumplimiento del deber por grandes que sean las dificultades. Nos empuja a resistir el mal y a ejercitar el bien aun en condiciones difíciles. 'La blandura es manantial inagotable de corrupción' (Séneca). Es difícil que una vida aburguesada pueda conducir a la madurez. Por eso se ha dicho muchas veces que la necesidad es la mejor universidad.

"No ceses jamás de esculpir tu propia estatua. Aprende a marchar contra corriente. Los peces vivos son los que nadan hacia la fuente.

Los cristianos tenemos que ser inasequibles al desaliento. 'Acostúmbrate a decir que no'. Ejercita tu voluntad y no te dejes arrastrar por tus pasiones ni por tus sentimientos arbitrarios. En las alternativas, decídete por lo que más vale y por lo que más cuesta. Así vivirás la virtud fundamental de la fortaleza, serás hombre de verdad y apoyo para los que conviven contigo. Aprende a dominarte y ayudarás a dominarse a los demás".

Para encontrar la felicidad, piedad

Piedad, dice el doctor Martínez Saenz, "así el adolescente fortalecerá la fe y encontrará a Dios".

Decía José Vasconcelos: "Sin fe en lo trascendental no se realiza obra alguna que merezca el recuerdo". Efectivamente: "El ateísmo es un esqueleto que no engendra".

Frente al ateísmo, fenómeno de laxitud y de vejez, está la certeza de la existencia de un Dios Padre bondadoso, la que da el sentido exacto de la vida. "Humanidad sin divinidad es bestialidad". Es la fe en Dios lo único que fundamenta la fe en la vida. "O la fe anida en nuestros corazones, o estamos muertos". "El miedo nace cuando muere Dios en la conciencia del hombre" *Juan Pablo II, 8-XII-84.*

Es importante explicarle al adolescente de hoy a decir valientemente que no a los caminos sin Dios, a cumplir con amor las exigencias de esa dependencia: vivir los mandamientos apoyándose en los sacramentos. Que recuerden que Dios es su Padre y su mejor amigo.

Que lo más importante en su vida es su amistad personal, su intimidad con Dios. Que no la pierdan jamás. Y si la pierden, que la recuperan cuanto antes. Que sigan el consejo del Papa: "Tratad de vivir en gracia de Dios" *Carta apostólica de Juan Pablo II con ocasión del Año Internacional de la Juventud, 31-III-85, n. 14.*

Que aprendan a hablar con Dios; ahí está la piedad. "El hombre que reza jamás es mediocre. Sin oración no hay comunicación, no hay comunión, ni con Dios ni con los demás. La persona sin oración no se enriquece; por el contrario, se empobrece. Pierde peso específico y riqueza metafísica. Deja de 'ser' para dedicarse a 'tener'. La acción se desvía cuando la oración no la guía". Por eso, "toda acción que no hunde sus raíces en la contemplación, está de antemano condenada al fracaso". "Orad y aprended a orar", nos recomienda Juan Pablo II *ibidem,* n. 14.

Que sepan que la oración es omnipotente. "Pedid y recibiréis. Habla con Dios y habla de Dios. Ten todos los días un tiempo conveniente exclusivamente dedicado al diálogo con Dios" *S. Martínez.*

Este camino de la piedad, del trato con Dios, ayuda a solucionar tres problemas que, por ahora, sólo introduzco: principios o valores, sentido de la vida y conciencia.

Algunos principios bien sólidos

Los jóvenes necesitan ayuda relacionada con dos objetivos:

1. Descubrir valores verdaderos
2. Crecer en esos valores (lo que significa vivirlos, practicar virtudes humanas y sobrenaturales).

Victor Frankl considera que este crecimiento debe centrarse en tres valores: el trabajo, el amor y el sufrimiento.

Qué importante es el sufrimiento, y que un adolescente tenga contacto con él.

El profesor Hervé Pascua sostiene que en la vida de muchos jóvenes de hoy existe un redescubrimiento de la vida interior, que supone un retorno a los valores tradicionales. Entre ellos destacan tres: trabajo, familia y religión.

Es urgente la solidez de principios: los jóvenes, a pesar de su "buena voluntad", corren el riesgo de incurrir en el confusionismo de valores tan extendidos en la sociedad de hoy. Veamos algunos ejemplos.

- Libertad: espontaneidad, liberación, independencia
- Verdad: lo útil, lo placentero, mi verdad
- Sinceridad: impudor
- Bien común: intereses de cada individuo
- Amor: conducta sexual

El sentido de la vida

"¿Qué sentido tiene mi vida?" Esta es la misma dirección que acabamos de ver: "La respuesta a tal interrogante está, queridos jóvenes, en vuestro mismo ser, creado a imagen y semejanza de Dios. Está en la fe cristiana que os enseña con certeza: estáis llamados a un destino eterno, a ser hijos de Dios y hermanos en Cristo. El, Cristo, es vuestra respuesta . . . La apertura a Dios, la relación con El, está como grabada en lo más íntimo de vuestro ser. De ahí que la religiosidad no sea un añadido a nuestra estructura humana, sino la primera dimensión de vuestra identidad" *J. Pablo II.*

Que se ilusionen por algo y pronto. El doctor Santiago Martínez lo explica así: "Ser joven es tener un gran ideal al que consagrar la propia vida."

"La vocación es el plan que Dios tiene para ti. Requiere atención para descubrirla y valor para seguirla. Ideal es tener una razón para vivir y una razón para morir. A la vocación –llamada de Dios– sigue el ideal –tarea del hombre–. Ser joven es tener una empresa a la cual dedicar y en la cual gastar la propia vida. Cuando no se cree en nada, no se vive para nada ni se sirve para nada. De ahí nace la angustia, que brota como fruto de la falta de un subsuelo credencial que lleva a los jóvenes a perder la conciencia exacta del sentido de la vida."

"Tampoco hay esperanza para el que vive en la mentira . . . nada hay más miserable que empeñarse en el disimulo de la inquietud", decía Vasconcelos.

Joven, recuerda: la vocación es una pasión de amor por un ideal, querido por Dios para ti, que explica el porqué último de tu vida. El descubrimiento de la vocación personal es el momento más importante de la vida. "Señor, ¿qué quieres que haga?" Defínete. Comprométete. "La juventud es el tiempo de discernimiento de los talentos" *Juan Pablo II.*

La conciencia

Las posibilidades y los límites de la conciencia moral están perfectamente explicados en el siguiente texto de Pablo VI: "La conciencia, por sí misma, no es el árbitro del valor moral de las acciones que ella sugiere. La conciencia es intérprete del valor moral de una norma interior y superior, pero no es ella quien la crea. La conciencia está iluminada por la intuición de determinados principios normativos, connaturales a la razón humana, pero no es ella la fuente del bien y del mal: es el aviso, es como escuchar una voz –que se llama precisamente voz de la conciencia–, es como un recuerdo de la conformidad que una acción debe tener con una exigencia intrínseca del hombre, para que el hombre sea verdadero y perfecto" *Discurso del 13-2-1969.*

Quizá el caso de la conciencia de Antígona pueda aclarar esto.

"Alrededor del año 442 antes de Cristo se puso en escena por primera vez la obra de Sófocles titulada *Antígona.* La historia de esta joven mujer ha sido mil veces contada a lo largo de la historia de la literatura. A la muerte de Edipo, sus dos hijos Eteocles y Polinices pugnan por hacerse con el poder y mueren los dos luchando entre sí. El nuevo rey Creonte prohíbe las honras fúnebres y dar sepultura al cadáver de Polinices por considerarlo traidor a la ciudad. Pero Antígona, hermana de ambos, quiere cumplir las leyes divinas que mandan enterrar a los muertos e intenta hacerlo por la noche, siendo sorprendida por los soldados que Creonte ha mandado para que vigilen el cumplimiento de su decreto: 'Pena de muerte a quien entierre a Polinices'.

"Entre el tirano y la valerosa joven se produce un diálogo que, tomando altura sobre el mero interrogatorio judicial de lo ocurrido, hace chocar la ley natural con la voluntad arbitraria del tirano. En una de las escenas más famosas e inmortales de la dramaturgia universal, Creonte condena según su poder político, mientras que su víctima argumenta según las leyes divinas inmutables escritas en el espíritu del ser humano:

"'No creía yo que tus decretos tuvieran tanta fuerza como para saltar por encima de las leyes no escritas, inmutables, de los dioses: su vigencia no es de hoy ni de ayer, sino de siempre, y nadie sabe cuándo fue que aparecieron. No iba yo a atraerme el castigo de los dioses por temor a lo que pudiera pensar alguien (. . .). Y así, no es desgracia, para mí, tener este destino; y, en cambio, si el cadáver de un hijo de mi madre estuviera insepulto y yo lo aguantara, entonces, eso sí que sería doloroso; lo otro, en cambio, no me es doloroso: puede que a ti te parezca que obré como una loca, pero, poco más o menos, es a un loco a quien doy cuenta de mi locura'".

Las palabras de Antígona son inequívoca afirmación de la dignidad humana, de la libertad y de la conciencia personal, pues –grita la joven– "No nací para compartir el odio, sino el amor".

La actuación de Antígona muestra que las normas morales no son creación de los hombres ni dependen esencialmente de una época determinada de la historia: son una realidad objetiva fundada en la or denación divina y manifestada a través de la creación y de la redención. Así, la vida cristiana se gobierna por la voluntad de Dios, realizada de modo diferente en cada cristiano de acuerdo con su estado y peculiares circunstancias.

"Como la función de la conciencia moral no es crear la ley sino conocerla y aplicarla a las circunstancias concretas, es grave la obligación que todos tenemos de formar la conciencia en la rectitud y verdad. Y difícilmente podría hablarse de rectitud moral cuando uno apela a la propia conciencia para no guardar o desobedecer normas morales declaradas en la enseñanza de la Iglesia, p. ej., sobre la santificación de las fiestas, el respeto a la vida desde la concepción o acerca de la austeridad en el disfrute de los bienes materiales" *J. Ortiz López.*

El noviazgo

Con la llegada de la adolescencia surge la atracción de los sexos opuestos y las amistades. En algunas culturas los noviazgos llegan muy temprano, quizá antes de lo conveniente.

Creo que un adolescente antes de los 17 o 18 años no debe tener novia, sí salir con grupitos de niñas y niños menores, incluso estar en una fiesta o tardeada, pero novia no.

En este sentido, las mamás se ponen un poco nerviosas y preparan muy pronto a la quinceañera para el novio. Sugiero que antes de los 17 o 18 años no lo hagan, por lo siguiente: difícilmente antes de esa edad una muchacha o un muchacho estará capacitado para abarcar a una persona en todos sus aspectos: físico, psíquico, familiar, moral, intelectual; entonces, lo más común es que se queden en lo físico y en lo sentimental, con todos los peligros que esto conlleva.

Además, esos noviazgos prematuros a veces distraen y evitan el desarrollo en otras áreas: deportiva, social, académica.

Los consejos de una madre a sus hijas

"Hijas, ¿se han dado cuenta de que la única persona de nuestra familia a la que podemos elegir es al marido? Los demás miembros de ella nos vienen impuestos. Nadie puede elegir a sus padres, ni a sus hermanos, ni a sus hijos. Sólo al marido. A ver si usan la cabeza a la hora de hacer esta elección" *R. Montalat.*

La afinidad

En el noviazgo, un punto importantísimo será la afinidad; esto es: nos vamos a entender bien.

Algunos elementos importantes para valorar la afinidad son:

- Edad (la diferencia de años es ordinariamente diferencia de mentalidades)
- Cultura similar (si uno es universitario, quizá es mejor que los dos lo sean)
- Educación similar (ambos con un grado de finura y delicadeza parecido)
- Hábitos de vida semejantes (horarios, costumbres, tradiciones)
- Conocer y amar los defectos del otro
- Igual religión

Obviamente estos elementos no son determinantes, pero convienen tenerlos siempre en cuenta.

El noviazgo es cosa seria

Hay que salir al paso de muchos adolescentes que piensan que el noviazgo es una época de aventuras y experiencias; el noviazgo, hay que decirles, es la etapa en la que conocerás a la futura madre de tus hijos, o al futuro padre de tus hijos.

El noviazgo es una época para comenzar a vivir la experiencia del amor, de íntima amistad, en la que si no hay delicadeza, respeto y principios, lo más noble del amor se prostituye.

Si en el noviazgo no hay madurez, visión de la persona en todas sus dimensiones, se comprende lo que . . .

Conviene enseñar a los jóvenes a ser novios y a que guarden, como siempre, ciertas medidas de delicadeza que aseguran el amor y respeto mutuo: horarios, lugares, manifestaciones de afecto . . . No quiero elaborar una lista, bastan dos ideas:

- Que los novios se quieran y respeten
- Que si alguno se pasa, el otro esté listo para pararlo en seco, que no sean cómplices. No deben en el noviazgo tener la intimidad del matrimonio.

Contra noviazgo, promiscuidad

Como ya dijimos, el ambiente es adverso.

"Mamá, decía hace poco una jovencita de 18 años, todo lo que nos dices, a nosotras nos parece muy bien. Pero tú sabes cómo está el ambiente. Muchos compañeros y compañeras nuestras viven en una verdadera anarquía sexual: se acuestan con cualquiera; en el supuesto de que alguna diga que es novia de un muchacho, se puede dar por descontado que, en un noventa por ciento de casos, mantiene relaciones sexuales completas con él. Algunas parejas deciden vivir juntos y a esa convivencia le llaman relación sentimental: ella dice ser la compañera sentimental de él, y él el compañero sentimental de ella.

"Y a nosotras, que nos negamos a vivir de esta forma, nos califican de atrasadas, personas que todavía estamos dominadas por prejuicios sociales, morales o religiosos; añaden que aún no hemos conseguido liberarnos de los tabúes sexuales, y que estos nos esclavizan; que tenemos que vivir más de acuerdo con los tiempos modernos" *R. Montalat.*

Es cierto, las tesis de Marcuse fueron muy bien explotadas, es por ello que un buen papá no puede estar en la línea y orientar sobre todo durante el noviazgo.

A título orientativo, vamos a exponer algunos datos (fuentes: la Asociación Panamericana de Estudios Sociales, James B. Stenson . . .):

Adolescentes que terminan sus estudios de bachiller en escuelas públicas, enseñanza mixta, edad 18 años, han tenido experiencias sexuales:

Año 1955 . . . más del 23 por ciento

Año 1990 . . . más del 90 por ciento

Extrapolando las estadísticas actuales, se puede predecir que al llegar a la edad adulta:

- El 30 por ciento vivirán en concubinato
- El 50 por ciento de los que contraigan matrimonio se divorciarán antes de cumplir los 30 años
- En el 98 por ciento de las personas divorciadas, uno de los dos no llegó virgen al matrimonio

Una de las mayores garantías de un matrimonio estable, es llegar virgen al matrimonio (probabilidad de divorcio: menos del 5 por ciento).

Cuando los dos cónyuges llegan al matrimonio con experiencias sexuales previas, la probabilidad de ruptura es superior al 60 por ciento.

Consideraciones respecto a la ley natural

La naturaleza es implacable, a corto o largo plazo, respecto a los actos humanos que la contradicen. La historia nos demuestra que personal, familiar o socialmente, pasa factura cuando se actúa contra-natura.

Se puede deducir que:

- Los seres humanos tienen derecho natural a tener padre y madre.
- Los hijos, por regla general, son la consecuencia de un acto libre de los progenitores.
- Los padres van contra la ley natural cuando privan a un hijo de su derecho de tener padres.
- El matrimonio y la familia, por ley natural, son instituciones permanentes.

Consecuencias: cuando las personas o las sociedades facilitan con sus actuaciones personales o sociales las uniones temporales o las rupturas matrimoniales, actúan directamente contra un derecho natural, y las consecuencias a corto o largo plazo son la corrupción de las propias personas, y como consecuencia la corrupción de la sociedad.

Reacción Social: actualmente, en diversos países del mundo, –a título de ejemplo se pueden citar Estados Unidos, Alemania y Japón– están naciendo agrupaciones de gente joven que como norma de vida se están fijando llegar vírgenes al matrimonio.

"Estos grupos, nacidos a mediados de los años ochenta, se están incrementando cada vez más" *R. Montalat.*

Doce recomendaciones finales

- Llegar a ser amigos entrañables
- Descubra el mundo interior del otro
- Tiempo y trato para conocerse
- El noviazgo es la oportunidad de elegir bien
- Es posible olvidar a la persona amada
- El ansia de amar y ser amado
- El egoísmo es el gran parásito del amor
- Las relaciones sexuales plenas y menos plenas entre novios dinamitan las posibilidades del amor
- Si no hay comprensión no hay amor
- Es necesario saber escuchar
- Hay que adaptar los gustos y aficiones propios a los del otro
- La semejanza es causa del amor

Diez recomendaciones sobre la elección de carrera

- Es un tema mucho más importante de lo que ordinariamente se piensa; junto con el matrimonio, es una de las dos elecciones en las que fallar sale caro.
- Conviene dedicarle tiempo, mucho tiempo, a pensar y hablar sobre la futura carrera.

- Desde que se está en 3º de secundaria hay que cuestionar, para pensar sobre la carrera.
- Es recomendable poner a nuestros hijos en contacto con profesionistas que trabajen en lo que quieren estudiar.
- Pensar en las características de nuestros hijos y recomendarles aquello a lo que pensamos que pueden dedicarse (véase cap. 1, inciso Breve estudio sobre la caracteriología).
- Conviene hacerles un test psicométrico para ver sus principales aptitudes.
- Llevarlos a ver diversas universidades y que elijan lo que les guste (prácticamente todas tienen buenos planes de becas). Respetar su decisión, e incluso si deben viajar, a no ser que haya causas graves, soltarlos.
- Animarlos incluso a tomar, desde el principio, muy en serio su carrera. Seguirlos y apoyarlos en sus estudios.
- Regalarles libros y elementos que usen en su carrera.
- Explicarles que lo que decidan hacer, incluso si no estudian, deben hacerlo con la mayor perfección posible. Es muy difícil que un adolescente deje de serlo, que madure, si no es profesional en su estudio y en su trabajo.

Anexo

Opiniones de papás de adolescentes sobre la educación de sus hijos

Presentamos a modo de guía práctica la respuesta de algunos padres de familia del país interesados en educar bien a sus hijos, que contestaron dos cuestionarios: el A, sobre asuntos generales de la adolescencia, y el B, relacionado con los medios de comunicación.

Cada grupo estuvo integrado por veinte matrimonios; el trabajo se llevó a cabo en 1993.

Asuntos generales del adolescente

Cuestionario A

1. ¿A qué edad pueden comenzar a ir a una disco?
   R. 18.

2. ¿A qué hora deben volver a casa de una disco?
   R. 12:00-1:00.

3. ¿A qué edad pueden comenzar a beber?
   R. Ninguna.

4. ¿Cómo enseñarles a beber?
   R. Probado, controlado.

5. ¿Qué hacer para controlar el consumo del alcohol?
   R. Ejemplo.

6. ¿Cuál es el tipo ideal de amigo(a)?
   R. Afinidad y principios, complemento.

7. ¿Cómo ayudarles a conseguirlo?
   R. Reuniones, encuentros.

8. ¿A qué edad se puede comenzar con el noviazgo?
   R. Depende de la madurez.

9. ¿Cómo ayudar a los hijos durante el noviazgo?
   R. Hablar abiertamente. El papá con el hijo y la mamá con la hija.

10. ¿Cómo prevenir el uso de la droga?
    R. Comunicación continua.

11. ¿Que medidas de seguridad deben tomarse en los viajes a los que van solos?
    R. Saber cómo, cuándo, con quién. Conocer planes, saber todo.

12. ¿A qué edad se debe proporcionar la educación sexual?
    R. Cuando surgen preguntas.

13. ¿Cómo se les debe proporcionar esa educación?
    R.

14. ¿Qué se les puede permitir tener en su habitación?
    R. Normal.

15. ¿Qué no se les puede permitir tener en su habitación?
    R. No agreda.

16. Respecto al vestido, ¿qué se les puede permitir?
    R. Respetar gusto, ropa para cada ocasión.

17. Algunas ideas para acercarlos a Dios.
    R. Enseñarlos a conocerlo, quererlo, respetarlo, ejemplo.

18. Tipos de castigo que les han funcionado.
    R. Retirar provisionalmente el afecto (según el hijo).

19. Posibles encargos en el hogar.
    R. De sus cosas: el perro, sacudir, barrer.

Adolescentes y medios de comunicación

Cuestionario B

1. ¿Cuánto tiempo al día pueden ver TV?
   R. Una hora u hora y media.

2. ¿Cómo controlar esto?
   R. Control, alternativas.

3. ¿Qué programas de TV pueden ver?
   R. Culturales, deportivos: "Bill Crosby", "Los años maravillosos", "Papá soltero" (tomar en cuenta el idioma).

4. ¿Qué programas de TV no pueden ver?
   R. Agresivos, violentos: "La caravana".

5. Las telenovelas, ¿cuáles y cómo verlas?
   R. Con mamá. Mejor ninguna.

6. ¿Cómo actuar ante la letra de algunas canciones?
   R. No perder el sentido moral.

7. El cine: ¿cómo orientar sobre las películas?
   R. Viéndolas con ellos.

8. ¿Con quién y qué películas se les puede permitir ver?
   R. Con papás y amigos, pero adecuadas a su edad; que siempre digan qué ven.

9. ¿Cómo lograr que lean el periódico con sentido crítico?
   R. Comentando noticias, leer periódico en casa, con sentido crítico

10. ¿Qué revistas puede haber en el hogar?
    R. *Selecciones, México desconocido, Rutas del mundo, Familia Cristiana, Geomundo, Istmo.*

11. ¿Cómo motivar a que las lean?
    R. Con el ejemplo.

12. ¿Cómo evitar que lean revistas insustanciales?
    R. Sentido crítico, hablar.

13. ¿Cómo aficionarlos a la lectura de libros?
    R. Enseñar a leer, regalar libros.

14. ¿Qué libros deben leer?
    R. Julio Verne, Salgari.

15. ¿Cómo influir positivamente los padres de familia en los medios de comunicación?
    R. Escribir quejándose.

Bibliografía

Cómo sobrevivir la adolescencia de su adolescente
Dr. C. Robert y Nancy J. Kolodny.
Dr. Thomas Bratter y Cheryl Deep
Javier Vergara Editor. Buenos Aires, Argentina

La educación sexual
Varios autores
Editorial Minos. México

Los novios
Ramón Montalat
Editorial Minos. México

Mi filosofía de la educación
Padre José Kentenich
Editorial Schoenstatt

Tus hijos adolescentes
Gerardo Castillo
Ediciones Palabra. Madrid

Dios y la familia
Jesús Urteaga
Ediciones Palabra. Madrid

Cómo educar la voluntad
Fernando Corominas
Ediciones Palabra. Madrid

Los adolescentes y sus problemas
Gerardo Castillo
EUNSA

Camino
Josemaría Escrivá de Balaguer
Editorial Minos. México

Tu hija de 12 años
Candi del Cueto y Piedad García
Ediciones Palabra. Madrid

El pudor
Antonio Orozco Delclos
Editorial Minos. México

Juventud y madurez
Santiago Martínez Sáenz
Editorial Druck. México

A los jóvenes y a las jóvenes del mundo
Documentos Pontificios
Librería Parroquial. México

Razones desde la otra orilla
José Luis Martín Descalzo
Biblioteca Básica del Creyente. Madrid

Razones para la esperanza
José Luis Martín Descalzo
Biblioteca Básica del Creyente. Madrid

Impreso en:
Impresora Múltiple, S.A. de C.V.
Saratoga No. 909 Col. Portales
03300 - México, D.F., Mayo 2005